MEAN GENES

FROM SEX TO MONEY
TO FOOD TAMING OUR PRIMAL INSTINCTS

# 本能

## 为什么我们
## 管不住自己？

[美] **特里·伯纳姆**（Terry Burnham） [美] **杰伊·费伦**（Jay Phelan）_著
**李存娜**_译

中信出版集团 | 北京

图书在版编目（CIP）数据

本能：为什么我们管不住自己？/（美）特里·伯纳姆，（美）杰伊·费伦著；李存娜译 .-- 北京：中信出版社，2019.5（2019.5重印）

书名原文：Mean Genes: From Sex to Money to Food Taming Our Primal Instincts

ISBN 978-7-5217-0300-9

Ⅰ．①本… Ⅱ．①特… ②杰… ③李… Ⅲ．①认知心理学—通俗读物 Ⅳ．① B842.1-49

中国版本图书馆 CIP 数据核字（2019）第 057194 号



本能——为什么我们管不住自己？

著　　者：[ 美 ] 特里·伯纳姆　[ 美 ] 杰伊·费伦

译　　者：李存娜

出版发行：中信出版集团股份有限公司

（北京市朝阳区惠新东街甲 4 号富盛大厦 2 座　邮编　100029）

承 印 者：北京楠萍印刷有限公司

开　　本：880mm×1230mm　1/32　　印　　张：7.5　　字　　数：187 千字

版　　次：2019 年 5 月第 1 版　　印　　次：2019 年 5 月第 2 次印刷

京权图字：01-2003-1719　　广告经营许可证：京朝工商广字第 8087 号

书　　号：ISBN 978-7-5217-0300-9

定　　价：59.00 元

# 目 录

## {第三部分}

## 罗曼史与繁殖



## {第四部分}

## 家庭、朋友和敌人

# 导　言

## {最大的敌人是自己}

你不妨把本书看成你的用脑指南。大多数人要是买了没有用户使用手册的汽车或微波炉，都会怀疑该产品的质量。但是我们最重要的财富——身体和大脑，却没有相应的使用指南。要想心满意足，只能求诸偶然出现的机会：一时半会儿的锻炼，13 分钟的性生活，一顿快乐的晚餐，一场鸡尾酒会，或者买辆 SUV（运动型实用汽车）。本书为我们提供了一些日常生活中易被忽略的信息，以帮助我们更好地支配自己的生活。

当我们在开车或使用微波炉的时候，汽车和微波炉会严格地执行我们的指令，它们不会顶嘴或自作主张——至少目前还不会。但是，如果我们告诉大脑，以后要少吃脂肪含量高的食物（这是新年愿望的一部分），它很可能会哈哈一笑。然后当你把装满甜食的小推车推到它面前时，它照样会欢欣雀跃。

不管怎么说，我们的大脑都算不上是一个顺从的“仆人”，它很有主见。你自身其实是两方面的复合体：一方面，你是一个有好恶、有愿望、有梦想的人；而在你体内还有一个机器——大脑，它负责处理各种指令，对你的好恶、愿望和梦想做出反应。它时时刻刻都在与你做斗争，而且它经常能占上风。

那么，你和你的大脑为什么不能意见一致呢？为什么控制自己的行为总是需要经历一番痛苦的挣扎呢？为什么我们总是很难在这些斗争中获胜呢？难道阿猫阿狗也会有这样的烦恼：既摆脱不了好斗的恶习，又要控制体重，还要忠于自己的配偶？难道黑猩猩也能常常下决心以后不再那么自私了吗？

有这么一个令人毛骨悚然的“篝火传说”：一个小保姆孤零零在家，忽然接到一个又一个恐怖电话，惊恐之下她报了警。当骚扰电话再次响起的时候，已对电话进行监控的警察立刻打电话给小保姆，并大喊道：“我们已经跟踪到电话，它就是从屋里打出来的！快出来！”

同样，自我控制问题的源头就在我们体内，在我们的基因中，但我们无法“走出来”，或者将它们撇开。善于操纵的媒体、贪婪的商业，甚至朋友和家人，都在对我们的恶习助纣为虐。但自我控制的问题大部分源于我们面对问题时的内在冲动——而这些对我们自身或我们所爱的人都是不利的。

到任何一家书店逛逛，我们都会发现我们斗争的本质所在。浏览一下畅销书，我们就可以看到人们脑子里想的是什么。大部分书的内容都是讨论如何寻觅爱情、减肥和获得财富的。很明显，有一些书籍根本不会被出版，比如《如何长出更大的啤酒肚》《乱花钱的十大步骤》《培植内心对配偶的不忠》。为什么有些行为做起来十分容易，而有些却万分费力？这是因为我们的基因已经替我们安排好一切，让我们不可避免地要遭受某些失败。

我们每天都会看到有关“导致酒精中毒的基因”或“导致衰老的基因”这样的新闻标题。这些报道都可以说明一点：人类的生理和疾病受基因的影响非常大。“人类基因组计划”是人类的一场革命，它已经基本确定了人体内的每条DNA（脱氧核糖核酸）序列。科学家每周都会发现一些疾病的基因根源，所以治愈疾病的前景也越来越明朗。

基因的影响非常广泛，远非一两篇文章所能说明。即使在那些我们觉得自己纯粹是按自由意志行动的地方，我们的行为戏剧也都是在基因的舞台上演出的。在过去数十年中，科学家已经掌握了大量关于基因结构的信息，我们的知识也将随着基因研究的进步而不断增长。在本书中，我们将探讨目前我们已知的基因所产生的作用及对我们日常生活的影响。下面举例说明一下。

什么是美？谁设定了美的标准？这是一个复杂的问题，许多前人都曾给出过答案。一些人认为美是神秘或神圣的，非凡夫俗子所能理解。另外一些人则认为，美是由我们生活于其中的社会所定义的，时尚圈认为有魅力的，公众也普遍觉得美。倘若美真的由时尚或潮流决定，那么每一种文化不就都有自己对美的定义了吗？而事实上，情况并非如此。

仔细观察人体的对称性，就会找到原因所在。人体对称的两部分是互为镜像的，比如，右手的构造和左手的一样。这种镜像并不是绝对的，我们每个人都知道自己并不是完全对称的，总会有一些细微的差别——一只耳朵可能比另一只低一点，一只乳房也许比另一只稍微大一些等。

我们发现，对称的人是美的，哪怕他们并不具有“古典美”。在科学研究中，男女都表现出一种明确而具有戏剧性的偏好——喜欢体格对称的伴侣胜过那些不对称的。记下自己性生活细节的女士们透露了一个有趣的现象：她们与那些具有对称美的男子发生性关系的时候，更容易达到性高潮且更易受孕。

这绝不是信口开河。在动物王国中，对称是健康无恙的标志，这很可能是由好的基因序列决定的。尽管大多数人都无法评估某人的对称程度，但它却在无意中影响着我们选择配偶的决定。

所以，喜欢具有对称美的人的这一审美取向是有其内在逻辑的，而这一逻辑是由基因决定的，而且我们只有在人类进化和动物行为的大背景下观察我们自身才可以理解这一逻辑。经过这样的观察，你会发现，我们的大脑确实有自己的日程安排，对这一安排没必要遮遮掩掩，它也并不神秘。

我们的大脑是由基因的进化而被设计制造的。一旦理解了这一设计，我们就会发现以下问题其实很好理解：为什么婚后会遇到危机？为什么腰围不尽如人意，尺寸越来越大？为什么巨无霸汉堡就比糙米好吃？为了理解自己乃至整个世界，我们要求助的不是西格蒙德·弗洛伊德，而是查尔斯·达尔文。

不管喜欢与否，我们每个人都在与自己难缠的基因做斗争。它们都是些老谋深算的对手，是我们的本能之主，通过让我们满足、痛苦和快乐而对我们实施控制。

即使是最成功的人士也必须屈服于它们。就拿美国脱口秀女王奥普拉·温弗瑞来说，她经营着一个强大的媒体帝国，据称她是拥有近 10 亿美元财产的大富婆。她取得了很多成就——7 次获得艾美奖，一次获奥斯卡奖提名，并获得过选美冠军。这位富裕且颇有影响力的女士在另一方面则是一个非常普通的人，和我们一样，她也在努力进行自我控制。

由于奥普拉毫不隐瞒自己的体重及其他私人问题，所以她已经帮助了上百万人。尽管受制于强大的本能，她还是取得了事业上的巨大成功。她的成功说明了很重要的一点：我们不是呆头呆脑、注定只会执行自我基因程序的机器人。

在日常生活中，有这么两条路。一条路诱惑我们只根据自己的冲动和直觉来生活。这条路可以被称为“宠物之路”，因为所有动物（包括家里养的宠物狗）走的都是这条路。饿了就吃，吃完就算。它们只在得到回报时献出忠诚。感觉什么好，就再来；什么有害，就躲开。而另一条路没什么明显的标志，是充满抗争的路。在这条路上，我们说了算，自己当家做主。除了激情，基因还赋予我们意志力和有意识地控制自己行为的能力。拥有这些特殊的人类能力，我们就能超越自己的动物本能。

而本书可以对我们的行动做出指导。本书的第一步在于让我们了解自己的动物本性——特别是那些让我们闯祸、使我们陷入苦恼的欲望。而本书的第二步旨在让我们利用这些知识，驯服我们的原始本能。

读这本书的时候，你会发现本书作者将本书写得很个人化。经过这么多年的研究和讲授，这已不仅仅是一本书。在本书中，作者个人生活中的很多故事是随处可见的，所以这本书不是什么乏味的学术大部头。只要理解本书作者所讲的理论，并采取作者建议的实际步骤，你就可以改善自己的生活。本书作者相信本书能对你有所帮助，因为作者和作者的朋友都曾从中受益。

我们都希望能一步登天，但是世上并无捷径。例如，在赛车运动中，设计师都拼命把赛车设计得越来越轻。但令人惊讶的是，如果要让车身减少 45 千克的重量，最好的办法是找到 1 000 处部位，然后将每处都减少 0.45 千克。不需要大张旗鼓地重新设计，也不需要另外大修大改，只要不断寻求渐进的改善。同样，对我们大多数人来说，改善生活的最佳途径就是通过无数的小动作去使我们的生活变得更美好。

本书提供的方法并不能在短短几天内解决我们所有的问题。我们应该把它看成一副眼镜，戴上它可以把世界看得更清楚，但这副眼镜并不能改变斗争的本质。例如，我们想变得更苗条、更可爱，有更多朋友。我们置身其中的世界没有改变，然而通过这副眼镜，世界会变得更有意义。

对世界更准确的认识可以通过更具体的方式来表现。最近特里和他的朋友卡伦有过一次交谈。卡伦是一位研究生，今年32岁，她和丈夫准备要一个孩子。卡伦想在怀孕前减轻一点体重，但特里警告她不要这样做。事实上，女人想要孩子时最好能增加几千克的体重。为什么呢？

我们的身体生来对环境很敏感。特别是在我们遥远的祖先们生活的世界里，食物匮乏，养个孩子很困难，所以当时机相对有利时再怀孕是很重要的。解决的办法会反映在女人的身体上，那就是生育能力要受到体重变化的影响。由短期的节食或剧烈运动引起的体重减轻，即便很轻微，也会使生殖力降低，并很容易使受孕延缓几个月的时间。

从中我们可以得出的实际建议是：如果一个女人想要怀孕，她应该保持正常的饮食，不要减肥。所有女人都是如此，不管其体重如何。在我们追寻快乐生活的过程中，对生育能力的小窍门的发现就像我们的赛车得到了一点小小的改进一样。

另一个小小的进步是关于杰伊的存钱技巧。杰伊每个月都会把账户上的钱花光。只要银行的机器给他钱，他就要花掉，但这不是说杰伊特别没有自制力。他也是人，花钱是人的天性，他也不例外。为什么呢？

让我们再次回到人类仍以捕猎和采集为生的漫长历史进化时期。那时候，财富主要以食物的形式存在，但食物并不能被持久地保存，任何多余的食物都会很快烂掉。所以，最好的保存方法就是把它消耗掉，而我们的大脑就是根据那时的情况设计了我们的思维习惯。所以，杰伊很自然地就想把每月多余的钱花掉，这并没有什么可奇怪的。

通过本书的说明，杰伊发现了一个办法。他让老板每个月都把工资的大头扣下。扣下的钱还是他的，只是现在他不能轻而易举就拿到手，所以也不会感觉屁股下面好像有堆过剩的财富就要烂掉了（那些钱被存了起来，要想消费的话，至少得打一个电话并等上几天时间）。杰伊把部分薪水“藏”起来后，躲过了体内过度消费的“怪兽”，他把有点难以到手的现金积累起来，以便未雨绸缪。

本书从不同的学科和数百种资料来源中吸取了灵感，以促进我们对人类存在的深入理解。例如，本书作者对一系列文化进行了研究，从而得出了一些结论。本书作者还通过对动物的研究来增加对人类的了解，这些动物既包括我们在基因上的近亲黑猩猩，还包括老鼠、果蝇。但本书的基础依然是进化生物学。

自达尔文在 1859 年出版《物种起源》一书以来，人们一直在讨论生物学在人类中的作用。正如进化论本身也在进化一样，一个令人感到兴奋的问题也在变得越来越清晰，那就是人类的大脑也是由进化塑造而成的。从它巨大的面积到其运行机制，每个神经细胞都在通过这种机制彼此进行对话。我们的大脑是自然选择的结果，正如我们的眼睛、腿和肾一样。我们知道这是事实。那么，我们的心智是否也同样是进化而来的呢？

相信大部分人对此是表示肯定的，但并非人人都赞同。一些人对此冷嘲热讽；另外一些人则对此感到困扰，甚至火冒三丈。但是大量的研究已经开始平息这些批评性的意见。我们对自己体内的基因之谜破解得越多，这一点就变得越清楚：我们的进化遗产在生活中发挥着核心作用。

是基因决定了问题的一切吗？显然不是。另外一些因素也对决定人的性格起着重要的作用。比如，我们知道，不管基因的馈赠如何，身体或感情的滥用都会给孩子留下创伤。同样，虽然我们每个人都继承了引发心脏病的基因，但采取怎样的生活方式对我们的健康影响极大。

在本书中，作者主要探讨的是基因的作用。很多书籍都讨论过文化因素对我们的影响，而本书则鼓励你将基因和环境因素相结合，以便能理解它们对我们的生活的塑造作用。

身为全职学者，本书作者每年都要读几百篇艰深难懂的研究论文。作者不断地参加研讨会，积极参与诸如“新世界猿猴的进化史”“Chk2 激酶检验到的因 DNA 损伤引发的 p53 活性”等话题的讨论。本书作者与其他处于前沿的科学家进行辩论，讨论并研究出了一些具有突破性的成果，而有关信息则要过好久才会通过《纽约时报》和其他媒体公之于世。

大多数人并不像本书作者一样一辈子深潜在科学细节里，但是每个人都应该了解人性的知识并从中受益。关于人性的知识在过去被称为“第二次达尔文革命”的 40 年里逐渐地、无情地被积累了起来，本书作者认为它们会改变我们的生活，并且还会帮我们获得一个丰富而充满激情的人生。本书作者就如同你的翻译，负责把重要信息从前线直接搬到你的起居室。

本书作者把做你的“科学翻译”看成是一件很严肃的事。后面的章节里有许多故事和数据，虽然没有用什么科学术语，但作者所讲的方方面面都经过了刻苦的研究，因而言之有据。用作论据的引文有上千条之多，但作者没有把引文写在书里，因为要写下来的话，它们占的篇幅比正文还要多。如果你感到好奇，或是想了解更多的知识，可以从以下网站找到很多注释：www.meangenes.org。

本书是第一本把达尔文理论应用到实际生活中去的书，目的是让我们生活得更好。作者的一些建议看起来不过是简单的常识，但以本书为“镜子”来看待生活，意味着我们要采取出人意料、近乎古怪的行动。比如：

杰伊在去朋友家吃大餐之前，为什么先用放了一整天的干面包圈填饱肚子呢？每次在从洛杉矶飞往波士顿的航班上，杰伊都要在和午餐一起送来的布朗尼蛋糕上迅速涂点蛋黄酱，他这样做又有什么好处呢？

特里把包裹交给联邦快递的司机，请他隔一夜再把包裹送给特里本人。这时，司机总是很困惑地挠挠头。特里解释说包裹里装的是把电脑接上互联网的网线，但司机仍感到奇怪。

虽然杰伊喜欢送人礼物，也喜欢收到别人送的礼物，但他宣称，在生日和节日里用礼物把我们所爱的人铺天盖地地包围起来绝对是一件糟糕的事情。但奇怪的是，他还是有许多朋友。为什么？

本书作者不再试图让朋友远离非正统的行为准则。例如，作者开始劝他们看重“特定的四天”。就是说，在每个月里，要有四天对配偶非同寻常地温柔体贴。这四天并不是随随便便的四天，而是比发工资的日子更重要的特定的四天。你能猜出来是哪四天吗？（要是按捺不住好奇心，你可以翻到后面“罗曼史与繁殖”的章节去先睹为快。）

杰伊和特里的这些行动是通过本书的“镜子”观察世界后做出的。它可以让我们了解自己什么时候会软弱，以及为什么会不堪一击。人性的嫩枝从一开始就是弯折的，必须用诱哄而不是威吓的办法让它行动起来。为达到自我控制而进行的斗争并非人格的缺陷，我们也很难在消灭敌人的情况下取得胜利。为控制自己的生活，我们需要永远保持警惕，并了解我们体内的敌人。

本书作者邀请你读下去，并构建属于自己的世界。每个人的指令会稍有不同，但总体目标是一致的，都是为了更精确地观察我们所处的世界，以便在本能控制我们之前先下手为强。这样，我们就会生活得更心满意足。这才是一种健全的生活。

# 第一部分

## 瘪钱包和肥躯体



为什么存钱就这么难？

怎样控制我们的财务支出？

为什么人会发胖？

有快速减肥的灵丹妙药吗？

# 第1章　债务：一路笑到达尔文银行

## 为什么存钱就这么难？

先做一个小测验：首先，你每个月想存多少钱？写下你的答案，看看这笔钱占收入的百分比是多少。其次，你存了多少呢？请看你前几个月实际存了多少，而不是明年还清信用卡上的欠账后的打算。以占收入百分比的形式写下你的答案。现在比较一下这两个数字。现实总是令人不快：我们当中的大多数人的存款都比我们所希望的存款数额少得多。

大部分美国人都想把收入的10%存起来，并声称他们实际上只存了3%左右。如果真是这样就好了。2000年2月，我们创下一个低纪录——储蓄率只有0.8%。换言之，如果你拿回家税后2 000美元的钱，并像普通的美国人那样储蓄，那么你会把这笔钱都花光，也许只会剩下没用的16美元。

结果是，大部分美国人很少有或根本就没有现金可以存起来。生活中到处都是怂恿我们消费的诱惑——从互联网到广告牌，再到影视上巧妙的产品布置。我们处在一个消费的国度，所以总是得赶紧先把工资充到各个银行的小账户里来结清我们开过的支票。

为了解我们的消费行为，让我们去一趟北欧，拜访一下世界上最成功的储蓄者吧。在那儿，我们发现了大片森林。秋天来了，树叶换了颜色，气温下降了，风刮起来了。

走在森林里观察一下，你就会发现冬天要来的迹象非常明显。红松鼠每年 9 月都会非常忙碌，而不再像夏日时那样悠闲自在。两个月之内，每个松鼠要在家周围几英亩[①]的地方储藏起 3 000 多个橡子、松果和山毛榉坚果。做松鼠真不容易！

然而冬天到来时，辛苦的劳动就会得到回报。光秃秃的树上能找到的食物少之又少，但是松鼠仍然过得很宽裕。它们每天都有条不紊地从一个储藏点转到另一个储藏点，最终能找到 80% 藏起来的食物，足够它们吃到春天。

为未来做储备并非长有大脸颊的啮齿动物的专利，而是动物王国在未来面临困窘时的正常反应。许多鸟类也在秋天储藏食物。例如，星鸦就会把松子埋起来，而且它们像松鼠一样记忆力出众，总能找到它们的储藏点。

如果有那么一个“储蓄明星廊”的话，恐怕会有几十种动物上榜，而一般的美国人肯定无法上榜。为什么人类（至少是多数美国人）在未雨绸缪这方面会比松鼠、鸟类及其他智力低级的生物要差那么多？

像蚱蜢和蚂蚁的寓言所讲的那样，对待富裕的战略有两种。蚱蜢整个夏天都在玩儿，而蚂蚁则不停地工作、储蓄食物。冬天来临的时候，蚂蚁活下来了，而蚱蜢死了。

同样的道理，努力储存坚果的松鼠活过了冬天，在春天还生了孩子。这些孩子长大后，受到父母的基因的遗传，知道在秋天的时候要埋下坚果。动物是杰出的储藏家，因为自然青睐节俭的物种。同样的

① 1 英亩约为 4 047 平方米。——编者注

力量难道就没有造就节俭的人类吗？为了理解问题的答案，我们可以先观察一下抢劫者的生存行为，因为我们的祖先直到最近还和他们的行为一样呢。

昆申人（!Kung San）生活在非洲南部沙漠地区，直到 20 世纪 60 年代，他们还在贫瘠的土地上过着游牧民族的生活，像一万年前他们的祖先一样依靠采集和捕猎为生。正是由于他们中的一些人在 20 世纪 60 年代还保留着这种生活方式，我们才得以通过对他们的生活进行详细的记录，来了解我们祖先在相同的生存环境下的行为。

昆申人一直面临着水和食物供给短缺的问题。对他们来说，为将来建立储备显然会降低一些生存风险。那么，昆申人提前储存了吗？当然。储存的最好时机是在物资充足的时候，一般是在刚刚猎杀了一只大型动物（如长颈鹿）之后。要是有良好的储备系统，一个拥有几百千克可以吃的长颈鹿肉的猎手可以活上好几个月。

但是昆申猎人既没有储肉柜也没有冷藏室。即使把多余的肉储藏起来，邻居也会蜂拥而至。猎物再大，他们也能在几天之内吃个精光。想想你中了大奖之后的"受欢迎程度"，一个昆申猎人把一头死鹿放在窝棚外会是怎样一番景象就可想而知了。

昆申人的行为为我们理解美国人的自相矛盾提供了一个线索：美国人一方面面临未雨绸缪的强大进化压力，另一方面又习惯性地导致储蓄不足的状况产生。在没有冰箱和银行的世界里，为艰难时世做准备就意味着吃足够多的东西，以便在身上储存一些脂肪。

虽然包括松鼠和鸟类在内的许多动物会把食物储藏在周围的环境里，但大多数动物还是采取了储存脂肪的方式。以海象这种有趣的动物为例。一头发育成熟的雄性海象的身体有 4 米长，2 吨多重，体积和一辆载满乘客的凯迪拉克汽车差不多。而雌性海象就端庄得多，只有半吨重。每年的交配季节到来时，海象都会长膘，雄性海象的体重会增加 900 多千克。然后，它们会做出一个令人目瞪口呆的专心致志的举动，这一举动使得迈阿密的春假看起来像《圣经》里的露营地一样——海象们游向海岸，整整 3 个月不吃不喝，专心求爱寻欢。

它们是怎样活下来的？从充实的“储蓄账户”上提取脂肪。严酷的考验来临之前，它们的体重至少会减轻 1/3。雄性会减掉超过 1 吨的脂肪（能喂养 100 头小海象）。

海象以脂肪的形式把多余的能量储存在身上，以迎接交配季节的到来。但不幸的是，人类也是这样进行储存的。如果你是男人，低头看看你的腰，摸一摸你肚子上的肉。如果你是女士，就请瞧瞧你的大腿和臀部。你看到了什么？

从某个方面来说，你看到了讨厌的脂肪。但是从进化的视角来看，你看到的是一个有大量节余（也许还在增长）的“账户”。进化造就了一个充满杰出“储蓄家”的世界，人就像大多数动物那样，一个劲地储蓄脂肪这种特殊的“货币”。

那么你是一个优秀的“储蓄家”吗？ 1981 年，爱尔兰共和军成员博比·桑兹（Bobby Sands）为了抗议英国的政策而绝食。他不是一个胖子，但还是用了 66 天才将自己饿死。尽管这个说法不太令人愉快，可我们中的大多数人即使一口东西也不吃还能坚持活两个多月。那真是令人印象深刻的“储蓄”！也许我们应该在“储蓄明星廊”里占有一席之地。

进化造就了一个充满杰出“储蓄家”的世界。人就像大多数动物那样，一个劲地储蓄脂肪这种特殊的“货币”。

想象一下，我们的一位祖先刚刚中了一个史前大奖，比如，他刚杀死一头野猪，或是发现了一颗结满多汁的果子的大树。如果有今天的市场或金融工具，中奖者可以把剩余的东西卖掉，把得来的钱存进银行。

但对我们的祖先来讲，通过市场和金钱进行储蓄是不太可能的。成功人士会把食物尽可能多地塞进自己的肚子，还有自己亲戚的肚子。假使他们在自己幸运的日子里会有所回报的话，他们也许还会给那些无亲无故的人分一杯羹。在这样的环境下，有点矛盾的是，储蓄的最好方式就是消费。与其让宝贵的能量放在外面发霉或被人偷走，还不如把它放在肚子里，通过身体把食物转化成能量储存。

作为哺乳动物，食物就是这个王国的“货币”。基因机制促使松鼠关心它们的坚果，让海象腰部长膘。当我们努力想存钱的时候，背后其实潜伏着我们哺乳动物的遗传基因。我们知道应该把一些钱存到银行里，但是消费的感觉就是那么让人无法抵挡。

## 别动你的储蓄金

也许我们应为勇敢的祖先及其基因遗产而感到自豪，但如果我们大多数人行动起来更像一个吝啬鬼，而不是胜利的洞穴女，我们会更加快乐。为了在充斥着电冰箱和政府做担保的银行的工业世界里活得舒服，我们还是需要骗一骗我们古老的基因。

由于进化过程要求我们把看到的东西“消费”掉，所以最成功的储蓄技巧就是把钱藏起来，让它远离我们的视线。如果让自己体会一下贫穷的滋味，我们就可以使自己过度消费的本能变得节俭一些。一个众所周知的技巧就是少带现金。我们起码可以以此来小小地愚弄一下自己的基因，让它认为没有多余的钱要消费。

在《强渡魔鬼关》(*The Border*) 这部电影中，杰克·尼科尔森回家后发现房子里放满了昂贵的新家具。当他问花了多少钱时，他妻子回答说：“不要担心付钱的事……我开了一个信用账户！”使用信用卡的危险之一就是我们交出去的并不是那种我们感觉很有价值的东西（如冷冰冰的现金），所以当我们消费时我们并没有感觉是在花钱。对追求节制的你来说，信用卡不如借记卡，借记卡不如付现金，而付现金又不如不花钱。

许多人发现这种花招的另一种变通方式很有用，那就是建立多个银行账户。取钱不方便的那一个账户能用来存钱，而更常用的账户，每月则会有固定的转账次数。储蓄账户也应该越隐蔽越好。例如，可以在另一个州开这个账户，而这个账户在本州则没有联网的自动柜员机或借记卡；或者至少在一个自动柜员机离我们很远的银行里开户。

容易让我们拿到钱的途径就是我们的敌人。这也许有点讽刺意味，但是最好的银行可能是取款尽可能困难的银行。比如，我们可以选这么一个账户：利率很高，但是每次交易的收费都高得令人咋舌。

人们带到这个世界来的本能并不能使我们采取适宜的金融行为。我们大多数人都需要学习，而学习的过程经常充满了痛苦的试错。本书作者亲身经历过，所以晓得。

在金融生涯早期，杰伊发现了使用信用卡的妙处。因为没有了使用现金购物的烦恼，所以他尽情地挥霍起来。但是他很快就发现信用卡带来的“盛宴”结束了，他的账户被最大限度地掏空，每月要支付巨大的欠款，收入余额几乎荡然无存。每次购物都感觉是一次性的，是必需的，但是杰伊很快就使自己陷入深深的金融漏洞里（幸运的是，漏洞没有被进一步加深，因为金融公司取消了他全部的赊账额）。

> 容易让我们拿到钱的途径就是我们的敌人。这也许有点讽刺意味，但是最好的银行可能是取款尽可能困难的银行。

杰伊首先采取的解决办法是换了一张要每月还清所有费用的信用卡。这使他有几个月的日子很难熬，他甚至会在最后一刻卖掉 CD 和书来筹钱，但这也使得他的花费降到了一个可控制的额度。不过，虽然他筹集的钱刚刚够用而不至于债务缠身，并且他也希望能存下钱以便在某一天为他梦寐以求的海滨别墅预付订金，但他还是没有一分钱可以被存起来。

就在这时，杰伊的信用卡公司插手进来，提出了一个新的方案——他们可以每月在信用卡上再加上另一笔钱以供消费。这似乎不大对劲，怎么支付更多的钱反而可以帮他存钱呢？原来其中的小窍门是，每月多出的那笔钱会被投入到一个共同基金里。这样的话，每个月要还的钱可能就更多了，但是却对存钱很管用。他总能想出办法还钱（逐渐地减少花钱的办法），这样一来他每个月能存 250 美元。

我们最有效的储蓄机制之一是把钱藏起来。这是想躲谁呢？躲我们自己，或者更精确一点，躲的是我们最冲动的那部分基因。杰伊是在建立了一个独立的、从未见过的、很难启用的账户之后才开始存钱的。

如果你有了一份稳定的工作，你就已经通过社会保障的形式把一部分钱从你眼前“藏”起来了。虽然这不是专门地存钱，但可以帮我们把钱存起来以备退休后使用。从本质上看，我们挣得越多，退休后政府付给我们的就越多。虽然社会保障的弊病很明显，但它还是减轻了那些上了年纪的美国人的贫困状况。这个项目刚实施时，65 岁以上的人是美国人中最贫穷的群体，但现在他们成了最富有的群体。

还有一个行之有效的存钱方法，其成功之处恰恰在于它不像在存钱，那就是置办东西。虽然 60 岁的美国人平均只有 8 300 美元的金融资产，但退休人员的家庭财产却超过了 3.5 万美元。如果还不上钱，抵押的东西就会被人搬走。可令人称奇的是，即使不怎么样的储蓄者也能够积攒起足够的东西而避免破产。

20 世纪 80 年代，布鲁克·希尔兹（Brooke Shields）曾为 CK（Calvin Klein）牛仔装做了一系列俏皮的广告。其中有一个是："我要是有了钱，就去买 CK。要是还有剩下的，我就用来付房租。"成功的储蓄技巧当中偶尔也包括这么一点儿似乎离经叛道的优先选择。

善于储蓄的人则会说："我要是有了钱，就先存起来一些。要是还剩一点钱，我会拿去买吃的和住的。"有了钱之后，人们会先存起一部分，然后再考虑其他需要。只要存钱的数目固定，并以抵押支付或工资削减的形式加以限制，多数人还是能保持收支平衡的。但如果把买东西剩下来的钱再拿来储蓄的话，结果往往是根本无钱可存。

建立自动存款机制是一件非常痛苦的事。但是几乎每个人都能熬过去，并适应新的收入状况。抵押权和秘密共同基金对富人来说不过是锦上添花，而对我们这些并不富裕的人来说又意味着什么呢？

这里的窍门是在合适的时机增加存钱的数量。例如，我们加薪后可以提高加入退休账户的比例，这么一来我们带回家的钱还是以前那么多。我们尽可以发发牢骚，但心里还是很明白，即使只靠以前那个工资数也能过日子，因为我们以前就是这么过来的。

随着政府财政结余的增加，有可能再过几年我们就可以享受减税的福利。要真是这样的话，那可是另一个增加储蓄的绝佳时机。同样，有了意外之财的话，像税率降低和得到馈赠的时候，最好的办法就是赶紧进行投资。

《邻家的百万富翁》（*The Millionaire Next Door*）一书描写了普通人是如何致富的。结论令人吃惊，该书指出，大多数人之所以富起来，不是因为他们比一般人挣钱多，而是由于花得少。比如，百万富翁会多等上一两年才把他们明显过时的轿车替换掉，而且他们更有可能戴天美时手表而不是劳力士。

## 储蓄行为需要培养

为什么我们存点钱要费这么大的劲，而做其他事却易如反掌？答案是，那些与世世代代的人的生存繁衍休戚相关的行为，我们学起来不费吹灰之力。我们只有在无法靠本能来对付那些古老问题的时候，才会认真学习。举一个生动的例子——小孩子是怎样对危险物品做出反应的。

当人们把装满子弹的枪放进围栏里时，小孩子们会像拿着其他玩具那样玩它，咯咯地傻笑着，还有可能把枪放进嘴里。与此形成鲜明对比的是，当人们把一条玩具蛇放到围栏里时，小孩子们却会惊恐地蜷缩起来。给任何一个年龄段的人看一条蛇，或者仅仅是一幅有蛇的形象的画，都会引起他们的强烈反应，如出一身冷汗或心跳加速。不管是美国人、英国人、日本人、澳大利亚人，还是阿根廷人，反应都一个样，甚至当地没有蛇的爱尔兰人也如此。

为什么我们本能地怕蛇而不是枪？1998年，遭枪杀的美国人有3万多，而被蛇咬死的不到24个。在美国，让雷电击中的概率是被蛇咬死的8倍。然而，看到蛇之后的反应却成了人们强烈的本能反应之一。

照理来说，我们应当非常害怕枪，而相对不太会害怕蛇，但我们生来恰好相反。稍微思考一下就可以解开这个谜——因为造成本能恐惧的基因和所有的基因一样，是从我们的祖先那儿遗传下来的。当人类还在以捕猎和采集为生的时候，就有许多人被蛇咬死了，而枪杀致死还是最近的事情。所以，我们憎恶我们古老的敌人——蛇，却对新的威胁（不管它多么致命）没有什么本能反应。其他灵长类动物也被蛇咬死过，所以它们和人一样有共同的憎恶基因。甚至成年黑猩猩和一辈子待在动物园里从来没有见过蛇的猴子也和我们一样本能地害怕爬行动物。一看到蛇，它们马上就会惊恐万分，烦躁不安。

与蛇和其他动物的漫长进化史相对照，试想一下一万年前你的曾曾曾……曾祖父母围坐在篝火旁的一次对话：

> 丈夫："亲爱的，我想把25%的储蓄投入浮动汇率的日本债券，并拥有对欧元的优先购股权。你意下如何？"
>
> 妻子："你疯了？世代以来，我们都明白投资股票更划算，因为它们的长期回报更高，而且在纳税上还有优惠。所有人都知道要投资技术公司。我听说富达投资集团（Fidelity）最近有一笔钱打算投资造火公司呢。"

荒唐！我们的祖先简直对金融工具一无所知。所以，正像我们没有怕枪的本能一样，让我们做出神秘的财务决定的本能也不会更多。我们为将来做储备的本能并没有和现代的财务选择衔接上，再过一千代或许有可能，但肯定不是如今这个会计年度。

我们的祖先肯定会被现代的许多财务选择搞得茫然失措。他们甚至也不懂钱，钱也是现代社会的一个发明。让我们来看看货币是怎样在人类社会中发展起来的。

最初，人们用食物作为货币来借东西和做储备。在拉普兰，整个19世纪，人们都用奶酪来还债，并用它来买房子过冬。用奶酪来还债并不比人的自然本性先进多少。海象在体内储藏脂肪，而这些拉普兰人用的则是篮子里充满脂肪的奶酪。

后来，我们开始收集更容易交换的货币。北美的原住民和移居者用的是以贝壳念珠（wampum）闻名的原始货币——用贝壳做的紫色和白色的珠子。再往南走，中美洲长期以来喜欢用可可豆做货币。虽然可可豆不能永久保存，但是易于计算，拿起来方便，而且可以随时撮起一点就吃了。不信你可以拿1夸脱[①]来试试。

说到夸脱，我们究竟是什么时候超越了像动物储存脂肪一样的储存价值？我们究竟是什么时候最终形成了现代有关钱的概念？

第一批铸币出现在公元前7世纪初期的吕底亚王国，该国是一个国际贸易中心，位于现代的土耳其和希腊附近。然而，铸币的使用并没有形成星火燎原之势。正如一句日本古谚语所言："历朝历代明智的统治者都尊崇谷物而鄙视金钱。不管一个人手里有多少金子银子，靠吃它们，他一天也活不下去。大米才是生命所必需的。"

---

① 夸脱，一种谷物容量单位。在英制中，1夸脱等于1.1365升；在美制中，1夸脱约为1.101升（干量）。——译者注

我们的大脑是由基因构筑的，而这些基因中不存在金钱世界的优胜者。在往身上增加脂肪这方面，我们拥有强大的本能，而关心金钱的本能还没来得及演化出来。

不同的文化相遇时，金钱使用上的困难会更加错综复杂。来看看法国歌手泽丽小姐的一次窘境。

在进行某次太平洋之旅时，她在社会群岛[1]举办了一场音乐会，她所得的报酬占票房收入的1/3。然而，令她懊恼的是，这些报酬共包括3头猪、23只火鸡、44只鸡和5 000个椰子，还有很多的香蕉、柠檬和橘子——理论上等于票房收入的1/3。在巴黎的话，这些东西的确算得上价值不菲，但要是没有船运回去的话，它们实际上一文不值。

在用货币积累财富的2 500年里，人们一直在抵制这种形式。习惯很难被改变，特别是当它们扎根在我们基因里时。当然，金钱的最大缺陷是，只有你在相信他人的情况下，货币才有价值。货币不像可可豆和大米，货币没有内在的价值。结果，直到19世纪，我们还得请拉普兰人向他们疑虑重重的地主保证“奶酪正在运来”。

我们的大脑是由基因构筑的，而这些基因中不存在金钱世界的优胜者。在往身上增加脂肪这方面，我们拥有强大的本能，而关心金钱的本能还没来得及演化出来。

如果我们在新几内亚高地拿蛇做实验的话，就很难发现人们会抱有同样的惊恐。把蛇或蛇的图片拿出来会惹得成年的新几内亚人发笑。蛇根本吓不倒他们，这似乎有点奇怪。因为在以前，几乎每一个

---

① 社会群岛（Society Islands），法属波利尼西亚群岛的一部分。——译者注

被测验的对象都会害怕蛇，为什么在此会不同呢？新几内亚不像纽约城，这儿的蛇非常多，而且还咬死了很多人。甚至还有这么一个记录：在附近的印尼岛上，一条巨蟒咬死了一个 14 岁的男孩并把他完全吞噬了。

如果有人怕蛇的话，那应该是新几内亚人，因为他们当中有人会被蛇咬死，然而他们却对我们幼稚的、普遍的恐惧感到好笑。新几内亚人的经历和学习解释了这一切。新几内亚人从小时候起就经常遇到蛇，其中只有 1/3 有毒。在这个过程中，他们学会了分辨哪些蛇有危险，并经常抓无毒的蛇来吃。

新几内亚自然主义者知道如何改变我们对蛇的本能恐惧，以及如何增强我们的大脑修改程序的能力。同样，虽然小孩子对枪并不存在本能的惧怕，但人们还是很快就能习得对枪的正确反应。从这些成功改变我们本能的案例中，我们可以受到鼓舞来改变我们和钱的关系。

人们真能改变根深蒂固的行为吗？绝对能。事实上，这些行为甚至不是根深蒂固的。我们总是感觉自己永远有还不完的债似的，而事实似乎也印证了这一点——1980 年以来，美国破产的人数也已增加了 3 倍。虽然这种趋势不容乐观，但这也表明，我们可以做出改变。虽然美国人的储蓄行为也会发生变化，但在过去的 20 年中，美国人的消费水平一直在稳步增长。

其他证明我们能够储蓄的例子则来自其他有着更为节俭行为的文化。具有讽刺意味的是，虽然美国人很难向世界夸耀他们的储蓄率，但日本的经济却由于恰恰相反的问题而陷入了停滞，即人们消费得太少了。所以，虽然是本能造成我们花钱太多，但日本人的节俭却证明这些本能是可以改变的，人是可以培养良好的储蓄行为的。不幸的是，商家知道我们的弱点，所以想方设法地操纵我们以从中获利。

## 信用卡购物带来快感

金融公司赚钱用的是老套路，它们借给我们钱的时候要我们承担高额利率，而我们把钱存到它们那里的时候却给我们很低的利率。为了赚取利润，它们捕获了我们未经历练的金融本能，并利用了我们基因遗产中的一些倾向。通过了解它们捕获我们金融本能的手段，我们就可以更好地利用现代金融工具。

以霍默·辛普森[①]为例。凡在电视上做广告的产品，他都要订购。看到画面上的人体形好，他就会赶紧订购教他如何减肥的12盒套装录音带。录音带会很快送到他家，而费用则在90天或更长的时间内付上即可。霍默的购买欲很滑稽，因为他比我们普通人更冲动。

我们的大脑似乎不能很好地理解这样一个道理——金钱并不随着时间的推移而贬值。事实上问题就在这儿。在我们大脑成形的那个世界里，今天的货币确实会随着时间的推移而失去价值。简单地说：食物总会腐烂的，所以精明的投资者会选择大大减少未来的支付。不幸的是，我们的大脑总是根据昨天的游戏规则行动，所以我们很容易上当。

各大公司会利用我们这种耐不住性子的毛病，无数次成功地诱使我们立马把东西买下。当我们能带回家一个神奇的洗脱一体的洗衣机

① 霍默·辛普森是美国热门动画片《辛普森一家》中的人物。——编者注

并在当天安装好，过60天再付钱时，这种诱惑会挑逗起深藏在我们体内的小小的以捕猎和采集为生的遗传基因的想象力。别担心最后付的钱会远远超过我们认为合理的限度——在买东西的时候，过时的本能总会引导我们看重今天的价值，而不管将来的开支。

> 不幸的是，我们的大脑总是根据昨天的游戏规则行动，所以我们很容易上当。

据说，通向地狱的道路是由良好的意图铺成的。当我们想变得更好时，我们却经常是在浪费钱财，并继续着我们的冲动行为。在一个关于良好意图的调查中，研究者考察了人们对看严肃电影的意愿。

一组调查对象被要求选择一场当晚观看的电影，另一组则要选择后3天每天晚上要看的电影。对后一组人来说，选的电影要3天才能看完，可是他们在第一天就已选好所有要看的片子了。

这个调查显示出了一个有趣的模式：选择今天的电影时，两组人都选了轻松愉快的爱情片、喜剧片和动作片；而要选后几天（明天或后天）晚上要看的电影时，人们会选比较严肃的片子，如描写纳粹集中营的《辛德勒的名单》，以及一些外国电影。

在白天，一个人会说："今晚我要看一部有趣的电影，明天会看我应该看的。"可是到明天时，他们又想寻找乐子，于是，如果可能的话，他们就会选一个《土拨鼠节》(*Groundhog Day*)。

商家知道我们通常对未来的行为总是过度乐观，所以就利用我们的这种认识来赚钱。例如，他们一开始会给我们利率比较低的信用卡，但是窍门在于6个月后，利率会大幅上升。这没有什么不合法的。银行的人甚至不必将这些打印精美的条件遮遮掩掩（虽然他们似乎总是想这么做），他们会把这些条件写在霓虹灯广告牌上：现在开始使用信用卡，你将可以享受6个月的优惠利率。

未来会与过去不同，而且通常会变得更好——由于这种过度的乐观主义，我们会一窝蜂地做这类交易（如果外星人统治了地球，把人当成宠物来玩，那么外星人可能会把这种抑制不住的乐观主义当成我们最可爱的特点）。

当制订这些计划时，我们期待的是一个崭新的、经过完善后的自我，我们甚至还想让这些商家吃亏上当。我们并不真正关心他们是否会在6个月后要求我们支付过高的利率，因为我们认为自己很快就会还清债务（同时还能变瘦）。然而6个月过后，我们常常还是债务缠身。结果是普通美国人会把他收入的1/5拿来付信用卡上的开支——其中绝大多数是利息。

## 理财的关键是利率

身处在高利贷者及其充满诱人提议的海洋——这些提议是用来刺激和利用我们的欲望的，我们如何才能过上富裕的生活呢？是的，我们不能依赖本能，相反，我们需要不断强化自身以控制我们的财务。对待银行和企业，我们应该以其人之道还治其人之身，从而反败为胜。记住，他们的赚钱之道是借给我们钱时收高利率，而在我们存钱时给低利率。

转败为胜的步骤一是将任何东西都用同一种货币，即税后利率来计算。不管它是叫贷款申请费、利息索价，还是分期付款，问题的关键是利率。许多很好的书和软件程序能帮我们把不同类型的费用转变成有效利率。经过协调，每个人都能按要求计算好利率。虽然这可能是显而易见的，但我们多数人甚至到现在也还不知道我们被要求支付了什么利率。

步骤二，组织我们的财务机构。不管我们欠什么债，利率都应该尽可能低，而且可以减税。同样，不管我们有什么积蓄，它们带来的税后回报都应该最高。

> 在做每一个决定时，我们都必须压制内在的反应，并利用习得的金融手段来做出最佳选择。

例如，当我们信用卡上欠3 000美元，而同时有2 000美元的储蓄账户时，我们就是在白白地让钱溜走。储蓄账户的利率很低，顶多在2%～3%之间，而信用卡却要我们付将近20%的利息。我们可以像华尔街的银行家那样，动用我们的存款以减少信用卡上的差额。这样，给我们带来2%利率的钱却可以帮我们省下20%的开支。

在一个层次上管理我们的财务并使其合理化的需要很明显，但在更深的层次上，就要求我们控制对诱惑性提议的本能反应了。这会更难，因为各大公司总是在有意无意地设计一些程序来愚弄我们对价值的直觉。

步骤三，要对我们的行为持现实的态度。在管理金钱的问题上，这可能是最难的事情。即使我们认为明天会做得更好，但对我们控制未来欲望能力的最好的预言家却是我们过去的行为。要是正在放映电影《王牌大间谍》（*Austin Powers*），那我们就不会坐上3个小时去看晦涩的纪录片。同样，请不要接受那些只有当我们完全改头换面才会帮自己省钱的金融提议。

步骤四，占商家的便宜。虽然每个商家都在尽可能地捞我们的油水，但他们在拉拢我们这方面是存在竞争的，所以他们可能不得不主动给我们一些甜头。例如，某个电话公司一开始时会要价比较低，或者会提供某种申请补贴，他认为我们尝完甜头后还会继续待在他们这儿。但是，我们可以吃掉这块免费的馅饼，然后转移到另一家，直到这另一家的条件转为对我们不利为止。商家讨厌的就是这样从一块免费馅饼跳到另一块免费馅饼的客户，但是这种做法不但合法而且有利可图。

人类的进化为许多问题提供了绝好的解决方案。如果要跌倒，我们的身体就会迅速做出反应，让我们站稳或减少跌倒后的痛苦，但在金融领域，我们却没有这样本能的保护措施。在做每一个决定时，我们都必须压制内在的反应，并利用习得的金融手段来做出最佳选择。

# 第 2 章　肥胖：请勿给人类喂食

## 贪吃，源于基因

夏特克[①]是住在亚特兰大动物园的一只聪明可爱的猩猩。它接受过手语训练，有超过 150 个字的词汇量，并被认为是一位体面的“艺术家”。它生于亚特兰大耶基斯灵长类动物中心，现在 20 多岁。它在该中心生活的 9 年是被当成人一样养大的，所以它使用了尿布和婴儿的那些用品。

在这种人类的环境中长大，夏特克变得十分肥胖，重达 200 多千克，几乎是它理想体重的 3 倍。由于担心庞大的躯体会压坏它的肺，科学家对它采取了严格的节食措施。以前它是 200 多千克的“乐趣”，现在却成了 180 多千克的“怒气”。在节食期间，它最喜欢的手语变成了“糖”。它拒绝画画，还吃了给它用来进行艺术创作的蜡笔。

节食期间，夏特克还成功地逃跑了一次。它向一个看门人发威，原本它可以轻而易举地要了那人的性命，但是它选择向一个 200 多升的食物桶发起了攻击。最后，人们发现它坐在一个底朝天的食物桶旁边，四肢并用地把给猴子吃的东西朝自己嘴里塞。

夏特克是独一无二的，不光是因为它和人类的联系，以及它的语

---

① 夏特克（Chantek），雄性红毛猩猩，1977 年出生在乔治亚州亚特兰大。2017 年 8 月 7 日，美国亚特兰大动物园宣布夏特克去世，享年 39 岁。——编者注

言和艺术才能，还由于它的体重。而在动物园和研究中心之外，没有肥猩猩。野生猩猩虽然在基因上和夏特克一样有对美食的渴望，但是体态苗条，一般只有 70 多千克重。因为它们的食物相对缺乏，而且在婆罗洲的丛林里很难找到食物。

像夏特克一样，我们许多人都难以保持体态轻盈、身体健康。我们会发现，食物充足、生活安逸是人类和被俘获的猩猩的体重难以控制的根源。在我们的胃口定型的那个世界里，有充足的食物是不可想象的。

真正贫困的人们会对吃饭过多可能成为问题这个说法感到困惑。在去东非乌干达的一次旅行中，特里试图给一群妇女解释易饥症（Bulimia）[①]。他一开始讲到的是患易饥症的人在吃完饭后会故意呕吐。“吃的东西有什么问题?”那些乌干达妇女问道。“什么问题也没有”，特里说道，“那些人只是想把食物吐出来。”妇女们茫然地看着他，很明显，她们难以理解这样的信息。

在试着理解了几次这种紊乱现象之后，乌干达妇女们离开了，她们认为，要么是翻译的人出错了，要么这是西方人开了个奇怪的玩笑。那些长期挨饿的人怎么会理解食物过剩的问题呢?

在许多贫穷的国家，肥胖仍然是拥有财富的标志，“富足”则用来形容胖子。尼日利亚的新娘在出嫁前先在“增肥屋”里吃喝并休息以增加体重。胖乎乎的妻子更讨丈夫喜欢，因为她们的能量储存有利于怀孕。

---

① 易饥症是一种饮食失调，特点是不自主地大量食用高能量食物，然后通过呕吐和使用缓泻剂以排出所摄入的食物。食入和排出常是背着人偷偷做的，这是一种严重的心理和医学疾病，具有危害性。——编者注

在工业化国家之外，饥荒和营养不良的问题仍然很普遍。一年中，有一半的发展中国家会有食物短缺的问题。在这种情况下，国家会出资建立一些储藏库以应对常常出现的饥荒年。事实上，我们贪得无厌的胃口曾是人类得以生存下来的生理特征。对食物深切的爱好可以使人们增加几千克体重，以此来度过食物缺乏的艰难时期。

对我们这些工业社会的人来说，踩几下油门就可以到达超市，那里的食物琳琅满目，有用来烹饪的，也有可以直接吃的。车库离厨房只有几步远，而超市的停车场离食物架也不过十几米远。如果我们觉得开车去市场太麻烦的话，还可以打电话订购比萨饼或中式快餐。

我们的生活中充满了机器，如遥控器、电话、冰箱、电动开罐器、电视、电脑、汽车等，所有这些使得我们不论是补充能量、进行社交，还是娱乐，都不怎么费劲。你今天真正走了几步路？对我们大多数人来说，答案是“很少”。

坐在沙发上，坐在车里，坐在桌子前，我们没有经历过任何形式的能量危机。我们当中的多数人已经在体内积累了太多的能量，比如肥腰、囊肉、啤酒肚和其他不想要的赘肉。

强大而本能的饥饿感使我们的祖先得以在一个对能量有很高要求的世界里艰难地生存下来。想象一下，在某段时间里，有一群胃口不同的人：贪吃的一类人日日夜夜都在想着食物；而另一类人，当天吃饱了也就满足了。在这两类人中，当食物短缺时，谁会有最多的能量储存在大腿和臀部？谁能经受住饥荒并剩下一些能量来繁殖后代？谁最有可能成为你的祖先？答案是胖子。

饥饿感曾经是我们基因程序中增强生存能力的特征，但现在它却成了这一程序中的“蠕虫”。这种永久的饥饿感造成的后果不是什么新鲜事：每 4 个美国人中就有 1 个是胖子。就体重来说，我们的身体质量指数[①]达到 30，丰满就成了肥胖。(他们是不是故意这样设计，使得这种计算对大多数美国人都毫无意义？）指数为 30 就是说，如果你的身高是 1.77 米，那体重就是 95 千克；如果身高是 1.65 米，则体重是 82 千克。

可以预测，随着社会变得更加富裕，以及我们个人年龄的增长，我们的体重将会不断增加。哪怕只减掉 5 千克的体重，我们也会减少得心脏病、中风和糖尿病的概率。我们都明白这一点。这也是我们许多人尽量减肥的原因，而其他人则得了饮食恐惧症。

{ 饥饿感曾经是我们基因程序中增强生存能力的特征，但现在它却成了这一程序中的“蠕虫”。 }

笼子里的夏特克很胖，因为它的基因是适应野生环境的，那里的食物短缺，生活艰难。我们人类的祖先生活的环境更加类似于野生猩猩徜徉其中的印尼丛林，而不是现代化的工业环境。很可能，肥胖对于远古的人类就像对今天的野生灵长类动物一样罕见。就像家养的猫狗经常会变得胖乎乎的一样，动物园里也挤满了有体重问题的动物。如果我们身上也挂上一个牌子，上面写着“请勿给人类喂食”，那我们的生活会变得更好。

## 挨饿的滋味不好受

不管基因馈赠给我们什么，只要消耗的卡路里比吸收的多，任何

① 身体质量指数（Body Mass Index，BMI)，体重除以身高的平方，体重单位是千克，身高单位为米。——译者注

人的体重都会减轻。不论吸收的卡路里来自汉堡包还是新鲜蔬菜，这个定律都成立。与此类似，不论是在健身房还是在卧室，只要能把卡路里消耗掉就行。而仅仅指出我们的节俭基因会使我们发胖并不能最终解决问题。

一个重要的节食概念是“体重的变化＝吸收的卡路里－消耗的卡路里”，但这仅仅是事情的一方面。挑战在于持之以恒地减少吸收，增加消耗。几乎每个人都能挺得住暂时不吃东西，如在令人畏惧的中学同学聚会之前，短期的挨饿可能是减掉几千克赘肉的最快途径。然而要达到持久的减肥效果，则难得多。

但在长期的饥饿状况下生活，可能是最坏的减肥计划了。至少参加生物圈计划实验的 8 个人能证明这一点。在生物圈计划中，这 8 个人进入了一个 3.2 英亩的满是动植物的封闭世界。这个计划试图探寻的是，在人对环境仅能施加微小影响的情况下，人该如何生存下去。这个实验最后可能会告诉我们更多关于人性的东西。

虽然科学家知道在这个鱼缸式的生物圈里生活是很艰难的，但这个实验显示出的结果——人类生存的最大困难，却令人吃惊。科学家在一个重要的生物屋里发现了什么呢？那就是饥饿的人脾气暴躁。这些生物屋的住客由于食物缺乏而减轻了体重，食物短缺的原因部分是由于低热量饮食效果的有计划实验，部分是由于粮食歉收。正如预测的那样，体重的下降使这些人的健康状况得以改善，比如患心脏病的概率大大降低。

由于食物缺乏，实验对象还经常争执、发生口角，并为晚饭的份额争吵不休。离开他们称之为“饥饿屋”的地方之后，一个参加实验的人说：“如果我们还能和别人礼貌搭讪的话，那将是一大成就。”当他们恢复正常的生活之后，身体又全都恢复到了从前的体重。

你不必到生物屋里花上1亿美元来吸取这个教训，常识及科学实验都揭示出，挨饿会伴随着痛苦。在一项研究中，当人们持续6个月挨饿时，随着时间的推移，人们会把越来越多的时间用在想象脂肪丰富的食物上。食谱甚至取代了性，成为他们最津津乐道的谈资。

> 就像面临金融困境的家庭会推迟一些重要的工作（如修好刹车）一样，一个忍饥挨饿的身体也会减缓许多系统的工作或将它们完全停止。

所以我们不能老是挨饿。但是有没有别的办法来改变我们的饮食习惯，以达到永久性减肥的目的呢？为了寻找答案，研究者在一群猴子身上做了低热量饮食实验。这些猴子的体重在最初减轻了几千克，且在随后两年里都保持了较轻的体重。虽然猴子的脑袋里可能充满了对食物的幻想，但是它们的行为在人类观察者的眼里还算正常。

两年后，这些苗条的猴子可以开始无节制地饮食了。它们还那么瘦吗？绝对不是。在生命中1/10的时间里，它们的体重一直比较轻，但是很快就恢复了原样。

许多对人类和动物的研究指出，在体重上存在一个定点。就像自动调温器一样，如果体重低于这个定点，身体就会四处寻找热量；而当体重高于定点时，人们的身体和心思就可以无忧无虑地去追求其他目标了。

如果确实存在这样一个定点的话，它会怎样运作呢？一个途径是改变新陈代谢率。节食者经常抱怨他们的新陈代谢减缓，甚至“看一眼馅饼”都会长肉。最近的实验证实了这种“民间智慧”。

在一项研究中，一群节食者的体重分别增加或减轻了 10%。在新体重保持了数月后，医生对他们的新陈代谢率进行了检查。那些体重减轻的人的新陈代谢率确实下降了，除了体重减轻，他们的身体对每千克肉的控制都更有效。相反，体重增加的参与者的新陈代谢率有所上升。

除了改变新陈代谢率，身体用来对抗节食的办法还有通过释放化学物质来刺激食欲。特别是一种叫作神经肽 Y（NPY）[①] 的成分，它会引起人体对碳水化合物的极度渴望。体重减轻的同时，会产生更多的 NPY。而当人们严格限制卡路里的摄入时，NPY 会飙升到极高的水平。换言之，类似于挨饿的行为在体内发出了这样的警报："我们有麻烦了，凡是看到能吃的东西请统统吃掉。"

这些新陈代谢的反应系统虽然使得我们节食的努力受挫，但对于缺乏有保障的食物来源的人们来说却是至关重要的。在繁衍后代的过程中，我们的祖先经历了频频出现的饥荒时节。他们拼命地寻找食物，在饥馑年代寻找食物就得更加拼命。他们尽可能地把食物能量储存起来以应对荒年。在没有冰箱的情况下，储存的最好方法就是增加身体的脂肪。同时，他们还演化出一套在饥饿的时候减缓新陈代谢的机制。

严重的节食不仅可能毫无成果，还可能对健康不利。节食会降低新陈代谢率，并且损害身体里的一些重要的功能。就像面临金融困境的家庭会推迟一些重要的工作（如修好刹车）一样，一个忍饥挨饿的身体也会减缓许多系统的工作或将它们完全停止。实验中饥饿的动物甚至完全失去了性欲，对传染病的抵抗力也下降了。

尽管我们知道了很多东西，但是重要的问题还摆在那儿。定点可

---

① 神经肽 Y 是一种广泛存在于中枢和外周并维持内环境稳态的激素。它能够促进食欲，并因此成为节食药物的靶点。——编者注

以被改变吗？我们难缠的基因一直是这场减肥战争中的赢家吗？

## 为什么减肥总是失败？

药物公司总是在寻求某种灵丹妙药，在此过程中，他们甚至拿出了荒谬且可笑的发现。在临床研究中，进行新减肥药实验的研究者总是会设置一个安慰剂群体。一些病人拿到的是要做实验的药，另一些病人则拿到了没有任何能动成分的安慰剂。由于安慰剂看起来和真药一模一样，甚至医生都不知道谁拿到了安慰剂，这样做的目的就是为了让新药的效果从实验过程中突显出来。

不出所料，有些新药是有效的，另一些则没什么用。但其中的一个最令人惊讶的发现是，拿到安慰剂的那群人的体重下降了。例如，在实验新的减肥药罗氏鲜（Xenical）的效果的研究中，安慰剂群体中超过 25% 的人的体重都减轻了 4.5 千克左右。对此应如何评价呢？安慰剂真有什么奇妙之处吗？当然不是。这里有一个窍门：虽然吃安慰剂的人并没有吃药，但他们却一直在记录自己的体重，并且比平时更加留意自己吃了什么东西。

所以，也许是对食物的注意和对体重的记录使那些吃安慰剂的人能够减肥。这也许是那些疯狂的、不科学的节食成功背后的“秘诀”。例如，鼓吹疯狂节食的人在某一天只吃某一种颜色的食物（但是“想吃多少就吃多少”），而实际上严格监控才是控制体重的关键所在。

另外一项研究也得出了类似的结论。看到多数节食者都不能成功减肥，研究者采访了那些能长期保持较轻体重的人。这些成功的事例中有一点行为是共同的，即控制饮食习惯而不严格节食。成功保持较轻体重的人并不会饿着自己，而是像在减肥药实验中吃安慰剂的一组人那样，他们对于吃了什么一直保持警惕。

除了坚持做记录，另一种简单的预防措施也会对他们有所帮助。想想：在赴夏天野餐会的路上，杰伊强迫自己干吃了3个百吉饼①。他知道晚餐会有各式各样好吃却含有超高热量的食物。他尤其害怕夹了干酪和碎牛肉的三明治，还有烤干酪辣味玉米片，因为他见了就忍不住想吃。可是，他吃了百吉饼先行预防，然后在晚餐时只吃了一点点高热量食物就没有胃口了。当危险的精美小吃诱惑他时，他也有了更强的意志力。

要想成功减肥，就得要求自己先做饮食计划，而后依计划行事。当我们试图减少摄入卡路里的数量时，基因系统会步步跟我们作对。然而，在决定摄取何种类型的卡路里时，我们会更容易赢得战斗。通过预先吃上几个无味的百吉饼，杰伊执行了只吃低脂肪食物的计划。选择摄入何种卡路里的能力似乎没有什么了不起，但是对于控制我们实际摄入的卡路里数量却是至关重要的。

于是，我们找到了两个有效的减肥办法，这两种办法可能没有多高的科技含量。第一是决定吃什么类型的食物。是想吃低脂肪、高碳水化合物的食物，还是想吃阿特金斯式②的低碳水化合物的食物？预先决定是关键所在。第二是记下我们的目标，并诚实地记录我们实际吃了多少。不得不承认自己吃了几个巧克力碎饼（即使在神

{ 了解我们未来的弱点可以降低我们失败的概率，并且防止我们在最软弱的时候造成损失。}

① 百吉饼，一种先蒸后烤的面包。——译者注

② 阿特金斯式减肥法是美国医生罗伯特·阿特金斯创造的健康饮食方法，其核心是控制碳水化合物的摄入量，从而将人体从消耗碳水化合物的代谢转化成以消耗脂肪为主的代谢模式。——编者注

不知鬼不觉的时候)，这足以帮助我们多数人抵制住诱惑。

有少数人可以抵御他们的进化系统，把自己快速饿到《甜心俏佳人》(*Ally McBeal*)中艾莉的模样。而对于其余的人来说，无情的觅食基因早晚会引诱我们摄入在成年的大部分时间里所摄入的卡路里。明白这一点，我们就能对下一顿饭做出实事求是的计划，并且更好地享受我们的食物。

本书作者下面要说的事听起来是不是很耳熟呢?你半夜醒来，想着藏在碗柜里的饼干，于是就起来把它们全吃了。或者，你去超市本来决定只买健康食品，可是却买了一块巧克力，然后这块巧克力在停车场就被你吃完了。如果你有上述问题，那么，你是人，一个有正常基因的人。

苏格拉底曾经说过，他是雅典最聪明的人，因为他知道自己十分愚蠢。在控制饮食上，我们的力量在于明白我们会变得脆弱。了解我们未来的弱点可以降低我们失败的概率，并且防止我们在最软弱的时候造成损失。

让我们回到那次深夜狂欢吧。我们每个人都知道哪些食物会使我们食欲大增，可能是 Twix 糖果(玛氏公司旗下的糖果品牌)，也可能是一碗接一碗的早餐麦片。但是总有这么一个时候，也许是晚餐后，那些糖啊什么的对我们不再有任何吸引力。实际上，我们会感到如此满足，以至于不想再多吃东西。

但是半夜醒来的那个“你”对那些美餐则有着完全不同的看法。所以要预先筑起一道篱笆来打败体内的恶魔。在晚饭后把那些“美餐”扔出去，或者干脆别买。在空空的碗柜里留一张纸条，写上:“亲爱的难缠的基因妖怪，哈哈!没有什么东西吧。等到明天早上再吃块年糕，那时你还得谢谢我。”

我们每个人都有强大和软弱的时候，这些都是可预测的。所以应该趁着强大的时候预先采取一些行动。每个人遇到的具体问题和解决办法都不同，但主题是一致的。以下是一些问题及相应对策，这对一些人会有帮助。

问题：我会纵容自己对某些垃圾食品的欲望，而且总吃得过多。比如，我决定吃一些薯片，可是却买了一大包；我打算只吃一半，可是把整包全吃了。

对策：打开包，把薯片分成两堆。你吃其中一堆，另外的不吃。把不吃的薯片毁掉（必须在吃之前毁掉）。你知道自己会把另一堆美味的薯片吃掉，这种情况下毁掉另一堆不会太难。这是你强大的时刻。把它们扔掉之后，确保它们不能再被拿来吃了，这样你体内的妖怪就不会在凌晨4点起来从垃圾里捡薯片吃。

问题：我打算在午餐和晚餐之间不吃东西。可是到了下午我会很饿，于是就吃了巧克力。

对策：根据你整体的节食计划，选择一种合适的午后小吃，并确保每个下午都带着它。感到饿的时候，吃一点你已经准备好了的食物。整个下午一直干饿着，这不现实。你得吃东西，而且你肯定会吃东西的。接受现实吧，吃你选好的东西，这会好一点。

问题：我在超市买错了东西。我一进超市，小推车就动起来了，它几乎是自己动起来的。它走到了放苏打饼干的货架前，虽然我几分钟之前刚刚发誓只买健康食品。

对策：一个众所周知的选择是，吃过饭再去购物。如果这对你有作用，那就每次出去时都先吃饭。如果不行，那就采取更加极端的办法。例如，开列一个单子，让别人替你买。在当今有互联网购物服务的情况下，这样做很简单。但是，不要因为送货的给你带来的是糙米而不是核桃仁巧克力饼就对人家大发雷霆。

问题：我开派对的时候，会在计划的饮食之外储存一些食物。我不介意在晚会中多吃一点其他的东西，但是晚会结束以后，我经常会狼吞虎咽地把剩下的东西吃下去。

对策：晚会一结束，马上就清除“危险”的食品。让客人带回家，或送给邻居。如果这两种方法都不行，那就在后院把它们埋了。不要理会你体内的声音喊什么浪费食物是不对的。当然，要是事先不买这些东西，或者把东西送人是更好的。但是，如果以上都不是你的选择的话，那么你吃掉了那些东西后就只能后悔，这样做是没有任何好处的。

问题：我在飞机上，他们会给我提供饮食，包括一块作为甜点的美味的巧克力饼。我在飞机上不能乱动，很无聊，又累又饿，所以我通常都会把巧克力饼给吃了。

对策：幸运的是，除了三明治和巧克力饼，他们一般还送一小包蛋黄酱。当杰伊在飞机上拿到他的食物时，他会迅速把蛋黄酱打开，涂满巧克力饼。这样，他就再也不觉得饼有多诱人了，甚至还会排斥它。谁知道呢？将来我们也许会带上一瓶“难缠的基因”牌子的抗调味品喷剂，它可能闻起来像发霉的东西，如像烂鸡蛋或鱼的内脏。

所有以上这些都反映了苏格拉底的观点：知道我们会变得软弱的这一事实可以使我们变得强大。

## 懒惰者的生存之道

1984 年，彼得・马厄（Peter Maher）的体重有 110 多千克，他一天抽 3 包烟。虽然他从来没有参加过体育锻炼，但他和朋友打赌（可能是喝啤酒的时候）说他可以跑完马拉松。于是他真的开始跑了，而且竟然跑完了。

在路上，他发现自己是一个天才。于是，他成了一名职业选手，而且仅用了 2 小时 11 分钟就跑完了马拉松全程，比世界最好的马拉松成绩仅仅慢了 6 分钟。在此过程中，他变瘦了，体重下降到 60 多千克。但他还是会担心自己的体重，不过这次怕的是太瘦了，因为他的身高为 1.9 米。

即使我们不能跑马拉松，运动对我们变瘦并保持苗条还是有明显的功效的。身体经常活动能消耗能量，从而提高新陈代谢率，并使身体更加强健。彼得・马厄和一些幸运的人热爱运动，但对我们大多数人来说，穿上耐克鞋跑上几千米比看一次牙医还要难。为什么做这些对我们明显有效的事情会这么难呢？

大多数动物都很懒。就拿老鼠来说吧。科学家在做关于极限运动的效果实验时，很自然会想到老鼠，因为它们是长跑的好手。可是问题在于，老鼠并不比人更想跑马拉松。

当人们把老鼠放在小小的踏车上时，它们中的许多只会罢工。它们会坐在传送带上，即使屁股被擦伤了都不管。老鼠在逃避运动方面非常有创意，它们会靠着墙，或者把脚撇得很夸张——只要不跑就成。我们当中的任何能为逃避锻炼找出好借口的人都会同情它们的。

除了像夏特克这样的猩猩，耶基斯中心还有大量的黑猩猩。可以想见，动物园里的灵长类动物都超重，而且懒惰。其中有一位受人尊敬的老前辈是一只叫作娜塔莎的雌性黑猩猩，它的体积非常庞大，甚至以“娜特克”（Na-“tank”-a）闻名。

进化偏爱节俭的动物，对随意浪费能量的机制则会投去严厉、警惕的目光。

虽然这些黑猩猩吃喝不愁，但当有人拿着一箱橘子来时，它们中的大多数还是会欢呼着四处跑。但“娜特克”不太容易为之所动。它只是径直走到水果台下面，用胳膊做出一些微小的求食动作，这不会比用遥控器换一个电视频道花更多能量。它只会在周围接近 2 米的范围内拿一个成熟了的水果。如果让它走过整个场地的话，则要用上几打橘子，而每个橘子都必须有技巧地扔在离它前面几米远的地方。

懒惰对多数动物来说是好事（尽量不要让你的孩子发现这一点）。为了理解这一点，我们有必要离开沙发，像野生的灵长类动物那样思考。以食物的形式储藏的能量很难得到，而一旦得到了，就不应该浪费。

这就解释了为什么狮子一天的大部分时间都在睡觉，老鼠在踏车上蹲着，而人们像躲避瘟疫一样躲避体育馆。在贫穷的国家，唯一运动的人是特权阶层——富人、旅行家或全职运动员。同样，现代抢掠者的生活也很活跃，只是不必要的运动这一概念也让他们摸不着头脑。

进化偏爱节俭的动物，对随意浪费能量的机制则会投去严厉、警惕的目光。而那些对能量进行了不必要的浪费的动物怎么样了呢？它们死了，它们的基因也跟着死了。我们是那些节俭的人类的后代，我们也遗传了他们储存能量的基因。

## 快从沙发上起来

运动对我们有利，可是进化却使我们生来懒散。我们的基因仍然认为随处都有饥荒，只要有可能，它就会诱使身体变得懒懒散散，以此储存每一卡路里的热量。我们能把自己拖下沙发吗？

再回到讨厌跑步的老鼠那里。让它们进行无意义的慢跑是很难的，但在适当的条件下，它们确实爱跑步。例如，饿了的时候，它们会花上大半天的工夫来跑步。为什么呢？原因之一就是它们要寻找食物。当然，在实验室里翻转轮子不会有什么收获，但是寻找食物的时候它们可是不惜上下求索。在一项实验中，饥饿的老鼠每天会跑大约 5 千米，几乎比吃饱的老鼠多跑一倍的路程。

在一个相关但是有点残忍的研究中，一位科学家设计了一个“运动才能得到食物”的刺激老鼠的实验。老鼠只有在旋转一个轮子之后才能得到食物，每转一定的圈数（75～275 圈之间），会赏给它们一小块吃的。

有食物作为奖励，要求它们转的圈数越多，它们跑的时间就越长，最能转的老鼠每天能跑上 10 个小时。所以，这些动物比那些不劳而获的动物的体重要轻得多。也许理查德·西门子可以设计出一个“难缠的基因”牌的电视机或电冰箱，只能通过运动型自行车驱动发电才能打开。

为了变得更加活跃，我们可以永远和基因对抗，也可以以智取胜。

如果能创造某种条件，让我们的活动在其中达到一个有价值的目标，那么我们所需要的精神能量和意志力可以很少。我们的基因认为有价值的目标是因人而异的，但也有共同之处。

安妮塔今年 26 岁，住在波士顿。她每天早上 6 点要和同伴沿着查尔斯河散步。早上安妮塔感到特别累的时候，就会自然而然地想打电话给同伴取消约定，但是她控制住了。她的同伴和别人合住在一起，房间中只有一个电话，要是打电话，会吵醒其他人。对安妮塔来说，要想不吵醒朋友的室友就不能取消约定，这对促使她起床是非常有效的。对许多人而言，有个一起锻炼的同伴，或者进行团体运动，就可以使运动变得惬意得多。

> 大自然痛恨无谓的能量浪费，但在许多条件下，它也能诱使人类活动起来。

金钱也能对人起到激励作用。在一项实验中，心理学家接近了一群排队购买剧院季票的人，他们卖给一半的观众打折票，其他人则要买全价票。在该季度结束时，他们发现付钱更多的人去剧院看演出的次数明显更多。同样的道理，一些人也发现，付钱给健康俱乐部也会促使他们更频繁地去锻炼。不能浪费钱的想法可能比保持懒散的动力更强烈。

我们从上文中提到的那只猩猩夏特克那里也能得到一点相关信息。当时我们见到它的时候，它正在被强制节食。它饥饿而愤怒，做梦都想着吃糖。在它试图逃跑并偷吃东西那件事发生之后，人们把它送到了一个新地方，那里有几英亩大，它得走上一段路才能吃到东西。

而且，由于野生的雄性猩猩爱占地盘，它们会花很多时间在自己的那片丛林里巡逻，夏特克也喜欢（也许是不得不）四处走动，以保证没有其他雄性猩猩侵犯它的领地。当然，在动物园里绝不会有什么入侵者，但是它的基因并不知道这个。结果，夏特克变得比过去活跃，在不严格节食的情况下，它 200 多千克的体重减少了一半。

大自然痛恨无谓的能量浪费，但在许多条件下，它也能诱使人类活动起来。夏特克变得更加活跃，因为它不得不走路才能吃到东西，而且它喜欢巡视自己的领地。那些在一般情况下总是昏昏欲睡的狮子如果见了瞪羚羊就会奋力狂追，而在受到土狼攻击时，它们会跑得很快。如果我们能制造一些条件，并带有合适的回报，就同样可以扯掉懒惰的外衣。通过重新构建生活，我们就能变得更加活跃，还可以在不挨饿的情况下减掉一点体重，同时还能保持健康。

## 食物替代品、外科手术和药片

我们生活在一个食物过剩的动物园一般的环境中，周围都是可以免除劳动的机器，它们使我们的每一项工作都更加容易，而且我们只要碰一下按钮就可以实现所有的愿望。基因使我们热爱食物，讨厌运动，所以体重问题的根源在于我们带着野生时代的基因生活在如今这个被驯化了的世界中。但这些基因不会很快改变任何东西，而且我们也不会马上面临食物缺乏的问题。技术使我们变得富裕，但也产生了问题。那么，技术也能刺激人类发明一些东西来让我们保持苗条吗？

一种技术努力是发展食物替代品。为了理解它们，让我们注意一下脂肪替代品——蔗糖聚酯（Olestra）[①]。我们喜欢含脂肪的食物，因

① 蔗糖聚酯是脂肪酸蔗糖聚酯的简称，是一种油脂替代品。——编者注

为舌头上有数以千计的特定探测器，即味蕾。当我们吃坚果、牛油果、奶酪和牛羊肉时，味蕾会刺激我们的大脑。通过这个系统，含脂肪的食物会使我们的大脑产生沉醉的感觉。因为脂肪所含的卡路里最多，这一结构得以进化。发现卡路里时，祖先的基因会奖赏我们。在寻找能量的过程中，脂肪应该且也得到了最高的奖赏。

虽然我们喜欢带有奶酪和牛油果酱①的玉米片，但大多数人还是痛恨卡路里。蔗糖聚酯就尝试给我们提供这种无代价的快乐。具体而言，它刺激了那些脂肪探测器，但是没有释放任何卡路里。蔗糖聚酯中有一部分像脂肪的化学结构，所以当探测器告诉大脑可以尽情狂欢时，这些分子就可以避免卡路里的吸收。嘴巴说着“好吃”，可是内脏却没能吸收任何卡路里。结果，这种物质欺骗了我们的身体，让它感觉似乎刚刚饱餐了一顿。

食品公司使用了包括纽特健康糖②在内的许多替代品，而这都是用来糊弄我们身体的。脂肪、糖和盐味道很好，但对我们可能有害，而人造分子则许诺给我们很多不需“上税”的满足。特别是这些复合物和其他一些研发中的分子使食物尝起来更好吃，但是卡路里的含量却很少。这听起来很简单，但真有用吗？

为了找到答案，研究者悄悄把带糖的曲奇给一组人吃，而另一组人的曲奇看起来和他们的一样，只不过是用纽特健康糖做的。然后研究者统计了这些人都吃了多少曲奇。结果，两组人吃得同样多，所以吃带有

① 牛油果酱（guacamole），一种墨西哥沙司，由牛油果、红椒、洋葱、番茄混合制成。——译者注

② 纽特健康糖（Nutrasweet），又译为纽特牌阿斯巴甜，是 20 世纪 80 年代发展起来的一种重要的强力甜味剂，由全球最大的阿斯巴甜生产商和销售商 Nutrasweet 开发，应用范围广泛。——译者注

真糖曲奇的人们就吸收了更多的卡路里。这是科技的胜利吗？也许未必。

实验对象还得记录他们那些天一共吃掉了多少曲奇。结果显示，吃纽特健康糖曲奇的那一组比吃带糖曲奇的人吃得多。事实上，这两组人的卡路里摄入量完全相同。所以两组人都吃了大量糖，也都吸收了许多卡路里，只不过一些人另外还吸收了纽特健康糖。

当前的食物替代品并不能完全有效，所以一些人采取了更极端的举动，如进行许多外科手术。因体重产生重大健康危机的人们有这样一种选择，即胃部缝合，就是外科医生通过手术让胃变得小一些。进行胃部缝合的病人会比手术前饱得更快，也能很快停止进食。有一组做了胃部缝合手术的人每人减掉了大约 30 千克的体重，至少连续两年都是如此。

> 只要是生活在像动物园一样优裕的环境里，我们就得和我们不断寻找并储存卡路里的自然系统做斗争。

把小肠的一部分或全部都去掉的手术也有助于减肥。这种减短了的消化系统能使卡路里还没来得及被全部吸收就让食物穿肠而过。其整体效果和吃蔗糖聚酯的效果相仿：嘴巴被蒙骗，高高兴兴地以为吃了卡路里，而内脏受到的则是缺斤短两的待遇。

另一种不那么极端的办法是抽脂，就是把脂肪细胞除掉。在 20 世纪，这种方法迅速成为最受欢迎的手术之一，仅 1998 年就有 17 万人做了这种手术。但不妙的是，随着时间的推移，减掉的体重又会重新长出来，可能长在其他不同的部位。鉴于这一结果，把抽脂称为“塑形”可能更加贴切。

如果食物替代品和外科手术不能保证体重永久性地减轻，那么减肥药怎么样？由于在此领域不存在什么绝对突破，制造减肥药以改变体重系统这种想法还是不错的。

例如，在证实减肥药芬－芬（Fen–Phen）会严重损害心血管之前的20年里，美国有500万妇女在吃这种药。它是把一种抑制胃口的药剂和一种类似于安非他明[①]的药结合起来制成的。像所有成功的减肥药一样，这种药干扰了我们本能的系统，因为这种系统总是在寻找食物，并把食物转化成脂肪储存起来。

修补基因机器的另一种办法是干脆提高新陈代谢率。包括纤美（Metabolife）在内的许多产品都声称它们能够在不增加无谓吸收的情况下消耗更多能量。这种办法在理论上是正确的，但这些非常规产品的安全性及效果仍存有疑问。但是，临床实验确实表明，像麻黄素和咖啡因一类的刺激物能减轻2～5千克的体重。

最新上市的减肥药罗氏鲜在市场上推销时名为奥利司他（Orlistat），这种昂贵的药物干扰脂肪消化的途径是使色拉味调料或橄榄里的脂肪在未经吸收的情况下穿肠而过（有时快得让人感到痛苦）。临床研究表明，罗氏鲜能在一年时间里使一个人的体重减轻大约5千克。虽然第二年体重会有所回升，但是仍然比原来要轻一些。

现在的减肥药能帮助我们减轻一些体重，而未来还会更加光明。通过使用罗氏鲜，平均每个人能减轻5千克，这可能不足以称其为灵丹妙药，但毕竟是一个意义重大的开端。而且对许多人来说，减轻5千克已经足够了。只要是生活在像动物园一样优裕的环境里，我们就得和我们不断寻找并储存卡路里的自然系统做斗争。基因机器使我们变得肥胖，而且一直保持着这种体重。通过对基因机器的剖析，使得发现更有效而副作用更少的药以让我们变得苗条起来这一前景变得更加明朗。

---

① 安非他明（amphetamine），一种能够解除忧郁、疲劳的药，主要用作中枢神经系统兴奋剂。——译者注

# 第二部分

## 贪得无厌，欲壑难填

第 3 章　麻醉剂：快乐之路上的劫匪

咖啡因 · 酒精 · 百忧解 · 嗜好 · 希望

第 4 章　冒险：寻求刺激的基因欺骗了我们

卡西诺 · 墨西哥胡椒 · 过山车 · 奖励

第 5 章　贪婪：在快乐的跑步机上奔跑

金钱 · 幸福 · 物质主义 · 进步 · 欢乐

咖啡、酒精、香烟和可卡因为什么让人难以割舍？

意志力能拯救我们吗？

为什么我们能从冒险中找到刺激？

为什么人生来就贪得无厌，永不知足？

# 第 3 章　麻醉剂：快乐之路上的劫匪

## 麻醉剂的诱惑

约翰·戴利（John Daly）说他最终放弃了戒酒的努力。这位职业高尔夫球员一度是美国最有希望的年轻运动员，但是他却撕毁了他与一家顶级高尔夫俱乐部签订的一项 300 万美元的合约，因为合同要求他不能再喝酒。戴利说要求他保持清醒“真要了我的命了，我很可怜”。他为自己有对酒精欲望强烈的基因而自责。尽管他对因饮酒而付出的许多代价感到悲哀，但他还是说：“自由自在的感觉真棒！”

不只约翰·戴利一个人这样，摇滚明星更是如此，以至于他们当中要是有谁没有这种问题的话，肯定会上新闻头条。这些小小的化学品的诱惑力极大。虽然小报上的悲剧新闻里讲到的都是贾尼斯·乔普林、约翰·贝鲁什、里弗·菲尼克斯之类的人物，但我们中有数百万人都在与麻醉剂进行斗争，即自我控制，可是我们经常会在战斗中败北。

现代生活中每天都会用到麻醉剂。酒精无处不在，数千万人不得不忍受其造成的各种后果，从工作业绩下降到肝脏遭到损害，再到酒精中毒，75% 的家庭暴力事件都是由酗酒引起的。还有超过 5 000 万的美国人抽烟，并造成每年近 50 万人死亡，这比死于车祸的人还要多出数倍。但因麻醉剂造成的悲剧仍在上演。

这些小小的化学制品对动物也具有同样强大的威力。例如，排卵期的雌性野猪嗅到公猪唾液中的费洛蒙（pheromone）① 时，会马上变得瘫软，四肢伸展，摆出一副交配的姿态。如果你把老鼠关到笼子里，让它们可以无节制地进食或吃可卡因，会发生什么事情呢？老鼠会猛吃可卡因，把食物完全撂在一边，并且很快会因此饿死。

这种对于麻醉剂普遍的爱好引起了这样一个令人困惑的问题：难道进化产生的不是勤勉的机制，而是对麻醉剂的迷恋？为了理解这个问题，我们需要回到从前，想想感情是如何进化的。为什么我们的身体会感到痛苦和快乐？一旦回答了这个问题，你就会明白为什么我们会受到像酒精和可卡因之类的危险物质如此强烈的诱惑。但是首先，就像我们通常上路时要做的那样——喝杯咖啡吧。

## 见鬼，为什么咖啡因就这么好？

大卫·莱特曼（David Letterman，美国脱口秀主持人、喜剧演员）说过："如果不是咖啡，我压根儿就清醒不了。"实际上，咖啡因或许是我们最常使用的麻醉剂。在世界范围内，茶是除水之外最常被饮用的饮料，紧随其后的就是咖啡。在美国，我们喝的 90% 的苏打水中都含有咖啡因。美国人平均每年要喝上 455 升的水、茶或咖啡。

从哲学家到作家、科学家、音乐家，咖啡都被尊为刺激灵感的必需品。在 1732 年的《咖啡康塔塔》（*Coffee Cantata*）中，约翰·塞巴斯

① 费洛蒙，也称信息素、外激素，指一种由动物体分泌出来且具有挥发性的化学物质，它可使同种动物在不同个体之间通过嗅觉的作用而传递讯息，产生行为或生理上的变化。——编者注

蒂安·巴赫（J. S. Bach，世界著名作曲家）写道："啊！咖啡尝起来是多么美啊！比一千个吻还要可爱，比麝香葡萄酒还甜蜜得多！" 200 年后，咖啡的吸引力又增加了不少。伊萨克·丹森（Isak Dinesen）的自传被改编成电影《走出非洲》（*Out of Africa*），他写道："咖啡之于身体，如同神意之于灵魂。"

> 大卫·莱特曼说过："如果不是咖啡，我压根儿就清醒不了。"

几个世纪以来，对咖啡的鉴赏是有根有据的。咖啡因几乎对每一种动物都起到了强大的作用。以老鼠为例，虽然所有的老鼠最终都能通过训练穿过迷宫，但有些老鼠学得比较快，有些则在穿越迷宫曲折往复的道路上变得憔悴。不过有一点是一样的，那就是如果能给它们一点含咖啡因的提神酒，它们的神志会更清楚，记忆力会更好，穿越迷宫之路会变得更顺畅。

竞技自行车赛车手会把这些结果铭记在心。他们发现，如果在赛前一小时摄入咖啡因的话，就可以多骑 20% 的路程。也许把高强度的训练和竞赛混为一谈有点疯狂，但有些人还是会在赛前吃咖啡因栓剂来享受一下忘却时间的快乐。

由于咖啡因能加快大脑和身体的运转，所以毫不奇怪，精子也会受到它的影响。在极端剂量的咖啡因刺激下，精子游得更快，摆动得更有力，它甚至能游过最黏稠的子宫颈液流以寻找成熟的卵子。

令人惊讶的是，咖啡因似乎对大多数人都是安全无害的。虽然人们在不断地求证其负面作用，但除了偶然的一些事故，也没有证据表明适度吸收咖啡因会有什么大的危险。对健康的人们来说，咖啡因好像不会增加患心脏病、肺病、肾病甚至癌症的风险。

咖啡因是怎样发挥其神奇作用的呢？只要我们保持清醒，大脑就会努力工作。我们的感官在吸收周围世界的各种信息：穿着毛衣使皮肤有点痒，透过窗子的阳光亮得晃眼，孩子们需要你时刻留心，老板因某个报告过时未交而大喊大叫，等等。所有这些信息都通过一种叫作神经元的特殊细胞报告给大脑。

每处理一点微小的信息，就会有数百万的神经元在活动。问题在于，就像运行中的发动机会产生废气一样，所有这些神经活动都会导致细胞废物的严重堆积，而最终我们的细胞也需要小憩一下。神经元排出的废物是分子，包括腺苷（adenosine）。腺苷的堆积会使我们感到疲倦，这样身体就会提醒我们该上床休息了。

当腺苷要我们停止工作时，它迫使我们睡觉的那种无情的压力是任何在驾驶时努力保持清醒的人都能体会到的。腺苷本身不会产生睡意，它不过是一个信使，告诉周围的细胞该停下来了。而咖啡因阻挡了这种要求睡觉时的信息传递。以下就是其作用机理。

大脑细胞通过传送像腺苷一样的化学信息以互通信息。信息分子通过其他细胞上叫作受体（receptor）的特殊“听众”进行合作。腺苷及其受体精巧地连接起来，就像小锁只能由合适的小钥匙打开一样。细胞释放腺苷时，会开始填充附近细胞上的腺苷受体，以此来传递要睡觉的信息。

由于一天中腺苷会制造得越来越多，于是就会有越来越多的受体被填充满。不管刺激有多强烈，我们的大脑细胞都会变得越来越迟缓，这就意味着我们累了。睡觉时，“值夜班”的细胞会把腺苷清扫掉。等醒来后我们就会感觉好一

{ 咖啡因通过扰乱正常的睡眠信号系统而使我们保持清醒。 }

些，因为我们的头脑确实变得更加清醒。

但是假设我们感到累时不能享受爬上床的奢侈，而是会喝一点苏打水或双份浓咖啡的话，我们摄入的咖啡因就会直奔大脑，一旦抵达，它们就在细胞之间洋溢。由于在外形上和腺苷碰巧相似，咖啡因会进入本来接收腺苷的受体。

一旦进入，咖啡因就会安营扎寨并阻止腺苷工作。所以，或许我们已经发疯一样地工作了几个小时，大脑里也充满了腺苷，我们本该累得要死，但是由于受体被咖啡因阻碍而不能工作，腺苷不能传递我们应该上床睡觉的信息，所以我们会感到出奇地清醒，仍然准备大干一场。

咖啡因通过扰乱正常的睡眠信号系统而使我们保持清醒。一些麻醉剂会阻碍身体自然信号的传递，而另一些则会放大这些信息。但在所有的情况下，麻醉剂都会伪装成自然生成的化合物，蒙骗我们的大脑。让我们再靠近一些，瞧瞧这些化学信使是如何高度影响我们观察、感知和体验这个世界的。

## 感觉不错，就再来

几个脑细胞的活动真能影响我们的情绪和行为吗？ 20 世纪 50 年代，一位心理学家通过手术把电极植入老鼠的大脑并刺激它们。通常情况下，微小的电流引起的反应很小。然而，把通电的电极放在靠近一个叫作下丘脑的部分时，似乎能让老鼠感觉很快乐。事实上，那是当年比较保守的表述，刺激下丘脑实际上是为了使老鼠心醉神迷。

后来的实验表明，如果在老鼠完成某件事情之后再给它们这种刺激性的奖赏，如学会通过一部分迷宫，那就可以使老鼠勤奋工作，直到它精通为止，老鼠如此努力为的就是拿到奖赏。只要继续给它们奖励，这些小啮齿动物就会持续工作，甚至能把人类认为几乎没有可能掌握的复杂迷宫都穿过。

它们喜爱的不是学习。同样是这些老鼠，如果让它们自己控制这种大脑刺激技术的话，它们就会忘记迷宫，忘记朋友，忘记其余的所有事情。它们会坐着，一分钟按 100 次杠杆，连续几个小时不停。它们甚至不会停下来吃饭，即使饿扁了也会选择按杠杆，持续不停，直到饿死。

如果我们能够刺激大脑中一个类似热切的快感中心的话，我们会怎么做呢？当然，这个问题不仅仅是一种假设，因为我们能够做到这一点。想想我们所有快乐途径之母——性高潮吧。我们那种愉悦的感觉其实是由于体内释放了某种化学物质造成的，这种化学物质刺激的大脑部位正是使老鼠感到快乐的那个部位。这些“再来一次”的中心一旦被激活，就可以因任何刺激大脑的行为而带来快乐。

你可以将这个“再来一次”中心看作我们大脑中的一个方形凹槽。做爱就如同发现了适合凹槽的方形木桩。它让我们很快乐。奖励的方式就是高潮，而这又会激发我们不断重复这一行为，即性爱。在发现了神奇王国的方形木桩后，我们就想再来一次，一而再，再而三。

当我们忙着享受性高潮时，基因正一路笑到达尔文银行。在它们（或者对施行生育控制之前的我们的祖先）眼里，一切都是为了生儿育女。因为这意味着基因已经成功地把这种行为传给了下一代。

为了追求不朽，基因希望我们能做不同的事，也相应地建立了许多“再来一次”中心。想象一下遍布大脑的圆形、椭圆和星状的凹槽，基因所喜爱的行为都和这些凹槽相关。

吃一点草莓脆饼，我们会感到快乐，就像把一块圆桩打入圆形的、寻找卡路里的凹槽一样。赢得一场比赛，我们则会兴高采烈，如同把一个星形木桩打进了星形凹槽。实际上，不同形状的木桩都是大脑中刺激“再来一次”中心的化学物质。

> 当我们忙着享受性高潮时，基因正一路笑到达尔文银行。在它们眼里，一切都是为了生儿育女。因为这意味着基因已经成功地把这种行为传给了下一代。

为创立这样的快乐系统，我们的基因发展出了一种奖励体系，我们追求快乐的同时会实现基因的目标。没有人会为了复制基因而要孩子，但我们却在寻欢作乐、逃避痛苦的时候，无意识地促进了基因目标的实现。我们根本不必在意基因，做某些事只是因为它可以使我们感觉良好，而且还想再做一次。

麻醉剂半路杀出，造成我们的进化奖励系统短路。我们的祖先通过良好行为这种老套的方式来获得因化学物质产生的愉快感觉。然而，我们却可以利用麻醉剂在没有良好行为的情况下刺激我们的欢乐中心。那么，麻醉剂是如何在大脑中的痛苦和欢乐之途上拦路横刀的呢?

要知道，唯一真正的情欲区是在我们的大脑里。例如，对一些完全瘫痪的人也有可能通过刺激其生殖器而使其勃起，甚至射精。但是，这些病人并没有什么快感，因为他们的大脑从来都没有接收到有关信息。而同样是这些人，如果其大脑的欢乐中心受到刺激的话，他们也会产生诸如高潮之类的感觉。问题在于，大脑必须通过神经系统的信号才能了解我们的行为，而任何信号系统都可以被操纵。

比如，想象一下掠食者是如何通过致命的方式利用萤火虫的信号系统的。夏天的夜晚，如果你坐在野外，就会看到萤火虫在黑暗中闪闪发光，旋转飞舞。它们跳舞并非为了讨我们的欢心，而是在举行一种交配仪式。野外漆黑一片，还有许多不同的动物四处飞舞。萤火虫为了找到自己的同类以成功交配，就会利用一种特殊的“莫尔斯电码”信号系统发出信号：“嗨！咱俩是一对儿，我准备好行动了。”

萤火虫并没有真正看见它们潜在的爱侣，它们只是通过腹部发出的亮光进行交流。一种萤火虫可能会通过两下长光、一下短光来打招呼；而另一种则可能用四下短光、一下长光。当一个有性要求的萤火虫发现了正确的亮光时，它就会扑过去，准备“成家”。

没有人会为了复制基因而要孩子，但我们却在寻欢作乐、逃避痛苦的时候，无意识地促进了基因目标的实现。我们根本不必在意基因，做某些事只是因为它可以使我们感觉良好，而且还想再做一次。

但一些飞翔着的“罗密欧”和“朱丽叶”时常遇到的却是粗鲁的惊吓。它们的小腰闪着光，到达信号发出的地方，却发现等待它们的是能一口吞掉它们的血盆大口，而不是充满爱意的臂膀。狡猾的食肉动物会利用信号系统，制造出同有意交配的萤火虫发出的一模一样的亮光序列。萤火虫误入歧途的时候，“天才掠食者”就可以开始享用它的晚餐了。

我们大脑的信号系统同样也会受到欺骗，后果可能是灾难性的。当我们做了好事，一种叫作神经递质的化学物质会刺激大脑的“再来一次”中心，从而让我们变得开心。麻醉剂和仿神经递质相似，不论它们是为了娱乐还是治疗，不论是自然的还是在实验室里被制造出来的。就像掠食者复制萤火虫的亮光一样，麻醉剂“看起来”和我们天然的化学信号一模一样。记住，咖啡因之所以能起作用就是因为它和腺苷相似。

服用引起快乐的麻醉剂时，我们的大脑运作起来就好像有适当释放出来的神经递质充满神经系统一样。大脑以为我们遇到了什么好事，如发现了食物或温暖之处，而实际上我们可能正蜷缩在一个肮脏的厕所里，朝胳膊上注射海洛因。我们的快感中心只知道它们正沐浴在一系列能产生快乐的精确预设的信号之中，除此之外一无所知。

## 从酒精到百忧解

还记得那些老鼠吗？它们一直按压杠杆刺激大脑以至于最终饿死。它们刺激的也是大脑的“再来一次”中心，这样就能产生身体的主要“快乐神经递质”之一的多巴胺。如果接收到神经递质的信息，大脑中的快感中心会让我们感觉妙不可言——事实上，这种感觉会好到让我们还想再重复一次这样的行为。

只要细胞沐浴着多巴胺，它们就能产生我们所渴求的强烈快感。但是这种快感通常是短暂的，因为几乎在信息发出的同时，多巴胺又会再循环释放到它的细胞中去。

吸一点可卡因进去，它会直接流向大脑的“再来一次”中心。就像对咖啡因一样，可卡因一旦到了那儿，所有的一切都会依照分子的误认而运行。可卡因会很贴切地将正常状态下吸收多巴胺的地方填充满，因为那儿的细胞最初释放了多巴胺。只要这些再摄取细胞受到阻碍，大脑就会被较以往更高水平的多巴胺填充满。可卡因的吸食者只知道一件事：让快乐时光继续下去。

抗抑郁药工作的机制几乎与此相同。除了多巴胺，我们体内另一个大型的快乐神经递质是血清素。抗抑郁药如百忧解和左洛复，都可以阻止血清素通过释放它们的细胞再加以循环。如果血清素待在神经元的时间延长，就会像弹球机一样照亮我们的“再来一次”中心，从而使人们感到更加快乐。

> 麻醉剂通常会模仿我们身体在正常运转中产生的化学物质。只要我们知道麻醉剂所模仿的分子是什么，其特定效果就可以被预测。

我们应该特别感谢化学信使——内啡肽[①]，它是我们体内天然的止痛药。内啡肽由大脑产生，它能阻止体内各处痛感信息的传递。在许多极端紧张的情况下，比如在一次战斗中我们受重伤的最初时刻，又如在半程马拉松中跑到 19 千米的时候，我们的身体会做出反应释放内啡肽。这种化学物质还会促使快感中心释放多巴胺。

我们最喜爱的一种麻醉剂是烟草的死党尼古丁。进入血液后不久，尼古丁就开始模仿我们体内最普通也最重要的一种神经递质——乙酰胆碱。上当受骗之后，乙酰胆碱受体会释放出肾上腺素及其他刺激性的化学物质，如可以带来更多快感的苦力——多巴胺。尼古丁能使这些化学物质得以迅速且大量地释放，从而被很快消耗完毕，因此吸烟的人快活过后不一会儿，就会想抽下一支烟。

每天吸入尼古丁的老鼠在不到一周的时间里，其乙酰胆碱受体会猛增 40%。人类的反应几乎相同。身体之所以会产生更多的受体，是

---

① 内啡肽（endorphin），也称多肽，是人的大脑和脑下垂体自然产生的一种类似吗啡的化学成分，它可以控制或缓解疼痛。——译者注

因为其功能会随着吸入乙酰胆碱的增多而减退。长期使用乙酰胆碱后，即使吸入得越来越多，我们的反应也会变得越来越迟钝。然而，即使有更多的受体，而且即使在当我们入睡时已把所有的尼古丁从神经键中清除掉，早上抽第一支烟时，尼古丁造成的最大影响力也还是固定值。

至此，我们已了解到，麻醉剂通常会模仿我们身体在正常运转中产生的化学物质。只要我们知道麻醉剂所模仿的分子是什么，其特定效果就可以被预测。它们的作用就好像是一次外科手术，并以特定的方式改变着我们的神经化学。

如果麻醉剂更像是一个“万事通”，且看起来和许多不同的神经递质很像，并足以模仿它们的样子，那么后果会是怎样呢？看看朋友们的鸡尾酒会吧。酒精是最伟大的模仿者，愚弄了至少 4 种不同的受体分子。快速浏览一下这些受害者的功能，我们就可以看清酒精是如何施展魔法的。

功能一，它让我们放慢脚步，“放松一下”我们的神经元。通过阻碍我们大脑的主要刺激性神经递质受体的工作，酒精给大脑涂上了一层蜜糖，减缓了其反应次数，使话语变得模糊不清。

功能二，它给我们一种快乐的沉醉感。就像可卡因一样，但是效果弱得多。酒精会阻碍多巴胺的再次摄取，使得快感神经递质在大脑的关键部位更加集中。

功能三，它阻碍了痛感的传递。酒精刺激了内啡肽的释放，让我们可以“在不穿跑鞋的情况下感受奔跑者的快乐”。它在这方面的功能像吗啡和海洛因，促使我们的身体产生一点像吸食了鸦片一样的兴奋感，但是强度要小得多。

功能四，酒精让我们变得更加快乐（至少是当它还在我们体内系统中的时候）。就像“自助百忧解工具箱”一样，酒精能改变并加大血清素受体的效率。

基于上述种种原因，我们许多人都喜欢在晚饭时来一杯酒，或在工作后偶尔喝杯鸡尾酒。但是如果一杯红葡萄酒变成3杯，一杯马提尼则变成无数杯马提尼，又会发生什么事情呢？

## 新鲜劲儿过去之后

在美国的中学里，有大约50万学生（其中1/3是女生）服用增强肌肉的类固醇。想象一下，如果他们中间有某个人（先叫他“美国上尉”吧）“加大油门”，注入大剂量的睾丸激素[①]，那会发生什么事？由于有多余的类固醇在他的血管里流动，“美国上尉”会变得更加高大威猛。然而，随着他肌肉的发达，管理睾丸激素水平的系统会奇怪地问：所有这些精力是从哪里来的？

“美国上尉”的身体可是一个适应性很强的机器，其反应就是减少睾丸激素的分泌。如果他继续注射人造的睾丸激素使其身体变得强大，他体内睾丸激素的自然分泌会减少。最后他将不得不面对这样一个严酷的现实：他的睾丸，将会消失。

这就是我们从缩小的睾丸的例子中吸取的教训：我们的身体不喜欢变化，它们只在严密结合的参数中才会运行。汽车的体温可以变得冰冷或晒得滚烫，但并不影响它正常的运转。要是我们的体温有几度

① 睾丸激素（testosterone），一种白色结晶固酮类激素，主要由睾丸产生，负责男性第二性征的发展和维持。——译者注

的变化，可能会烧得神志不清，体内的化学物质也适用类似的规则。正是因为自由度如此有限，我们才进化出一批对抗变化的系统。比如，我们节食的努力在新陈代谢减慢的抵制下会成为泡影。

一位酒精中毒的女士最近到加利福尼亚大学洛杉矶分校的医院做体检。虽然她血液内的酒精含量足以使多数人致命，但她实际上已经接近3天滴酒不沾了。她对酒精的容忍度很高，需要喝很多酒才能产生醉意。3天后她的血液中仍然含有高浓度的杜松子酒和补药。

就像“美国上尉”和海量的嗜酒者一样，经常服用麻醉剂会增大对它的耐药性。我们许多人要在早上喝杯咖啡才会感觉一切正常，美国人平均每天要消费225毫克的咖啡因（相当于5罐可口可乐的剂量）。

在一项了解人们对咖啡因耐药性的研究中，研究人员曾做过这样的实验：让一些人每天摄入整整900毫克的咖啡因，连续3周如此。可想而知，最初这些人感觉很刺激。但是这种飘飘欲仙的感觉并没有持续多久。在3周的时间里，我们的瘾君子与清醒而有节制地摄入咖啡因的人就不太好区分了。在使人兴奋、警觉、紧张、焦急等方面，咖啡因都没有发挥明显的作用。这说明完全的耐药性已经形成了。

耐药性的形成是必然的，但其代价和后果却因麻醉剂的种类不同而各异。在另一项研究中，志愿者每天注射相同剂量的海洛因，并接受对其兴奋程度的检查（大学生可得留意校园新闻广告中精美的图片了）。他们起

> 麻醉剂耐药力的反面是放弃服用麻醉剂所造成的难以避免的痛苦。我们的身体可以适应没有麻醉剂的日子，但恢复正常尚需时日。

初感到心醉神迷，但其身体做出了反应：减少海洛因受体的数量。由于受体越来越少，海洛因造成的功效在 3 周内几乎降到了零点。

在现实世界中，海洛因瘾君子对此有些小小的反击。上瘾的时候，他们可能会增加 1 万倍的剂量。如果咖啡因耐药性也有相应增长的话，那我们得用上一浴缸的咖啡才能从床上爬起来。但幸运的是，咖啡因耐药性很少会超出原先有效剂量的 10 倍或 15 倍。

既然有了耐药力，那么为什么不放弃服用麻醉剂呢？我们要是能做到这一点就好了。麻醉剂耐药力的反面是放弃服用麻醉剂所造成的难以避免的痛苦。我们的身体可以适应没有麻醉剂的日子，但恢复正常尚需时日。“美国上尉”放弃人工激素后，他的睾丸得要几周的工夫才能长回原样。

服用咖啡因、尼古丁和酒精，都会这样。其代价可能是头痛，也可能是因戒酒导致的震颤性谵妄①，而这可能危及生命。如果要减少咖啡因或其他麻醉剂的使用，我们都得交一笔“退出费”，所以有些人可能比其他人更难以戒掉麻醉剂。

## 有的人消遣，有的人却上瘾

伊莎贝拉在一次晚宴上和朋友一起喝了点酒。喝着喝着，她的同伴们有点醉了。她们的谈话变得越来越融洽，情绪也放松了。于是她们又往杯子加满酒，完全沉迷于微醺的感觉中。但伊莎贝拉并非如此。一杯酒还没喝完，她就有了“飞红”（fast-flush）反应。她的脸红了，

① 震颤性谵妄，又称撤酒性谵妄或戒酒性谵妄，是一种急性脑综合征，多发生于酒依赖患者突然断酒或突然减量。——编者注

> 某些天生的基因差别导致了一些人对酒精没有那么强的欲望。

心跳加速，脑袋摇摇晃晃。更糟的是，她很快就觉得想吐。

为什么人们对酒的反应有如此大的差异呢？像伊莎贝拉这类“飞红者”在基因上与其他人有所不同，这种差别使一种叫作乙醛的有毒化学物质在体内堆积。我们正常人一点酒下肚以后，身体会跳一种小小的“两步舞”，把酒精分子处理掉，把它们从醉人的形式变成无毒的原子。

伊莎贝拉的身体很熟练地开始了对酒精的正常分解，但她天生存在一种基因缺陷，所以不能产生一种处理有毒化合物的酶。酒精分子一个个受到处理，但不是由合适的机器进行的，结果造成了有毒的乙醛的聚积，因此产生了“飞红”反应。

在伊莎贝拉身上出错的酶叫作乙醛脱氢酶，至少一半亚洲人有同样的基因缺陷。但是，也许我们应该把这个错误称为“天赐分子”。在一项对 1 300 个日本嗜酒者的研究中，猜猜其中有多少“飞红者”？一个也没有。虽然有一半日本人“飞红”，但是在嗜酒者中却一个都没有，这是由于“飞红者”的基因代码中的一点小小的变化帮他们抵制住了酒精的诱惑。

所以说，某些天生的基因差别导致了一些人对酒精没有那么强的欲望。反过来也是正确的吗？是不是一些人拜基因所赐而使他们对酒精有一种不健康的激情？对动物的研究显示，原因可能如此。

一般而言，哺乳动物——从野生的灵长类到家养的宠物都滴酒不沾。要是可以选择的话，它们会喝水。有些科学家打算培植对酒精有胃口的老鼠，所以在每一代，只有最不讨厌酒精的老鼠才可以被选来繁殖后代。其余的老鼠则不允许生孩子，所以它们没有子嗣。因此，科学家很快就拥有了一群爱喝酒的老鼠。

有趣的是，这些爱喝酒的老鼠的大脑中异常地产生了少量的快感神经递质——血清素。对酒精的爱好可能是试图将血清素重新提高到正常老鼠所拥有的水平的一种努力，这一发现打开了一个麻烦的“蠕虫之盒”。

人类中的麻醉剂瘾君子和依赖者在基因上是不是和其他人也有所不同呢？最近的数据表明这不无可能。一些研究大脑的科学家在尸检时发现，嗜酒者身体中的多巴胺受体比其他人要少。

其他麻醉剂瘾君子也有基因上的不同。在一项对 283 人的研究中，研究者发现，有 1/3 的抽烟者的一个重要基因存在不寻常的拷贝，而几乎没有哪个非抽烟者有这种拷贝。这种基因被称为 D2，它使我们大脑的快感中心在多巴胺的刺激下可以亮起来。拥有这种不同寻常的 D2 基因的吸烟者会产生第三个小于正常尺寸的多巴胺受体。

由于多巴胺在协调大脑的快感中心时起着核心作用，所以对这一系统的任何改变都会破坏身体调节和获得快感的天然能力。许多抽烟者都可以这样认为，他们是通过服用药物来更强烈地刺激其多巴胺系统的。通过吸烟，他们可以将其快感中心的水平提高到非吸烟者拥有的自然水平。

如前所述，其他麻醉剂，特别是可卡因，也将体内的多巴胺系统填满了。而让人迷恋抽烟的 D2 背叛基因同样也和其他麻醉剂上瘾有关，甚至和暴食也有关联。

1997 年在北卡罗来纳州，一个叫托马斯·理查德·琼斯的男子因交通肇事导致两名女子丧生而受到审判。出事时他正处于酒精、止痛药和抗抑郁药的联合夹击之下。琼斯的辩护律师提到他有很长时间的麻醉剂成瘾史，并在辩护中说是“潜伏在酒精和药丸里的恶魔不肯放过他”。这个恶魔的一个化名就是多巴胺。

让一个利用诸如多巴胺和血清素之类的化学信号来管理快感，这正是危险所在。而基因在生产这些化学物质时的小小差错可能使一些人一生都在寻求化学物刺激下的高潮。

虽然目前的研究已表明，基因在抽烟、喝酒和其他麻醉剂的使用过程中起到了一定作用，但我们也有确凿证据表明基因并非其中的唯一原因。同卵双胞胎对麻醉剂的使用会表现出类似但并不相同的倾向。如果一个人有嗜酒问题，则其同卵双胞胎比异卵双胞胎出现同样行为的概率会高出 25%～40%。但如果基因是问题的全部的话，那么同卵双胞胎就应该出现完全相同的行为。

以上这些只是对我们大脑信号系统理解的初期阶段。要完全理解麻醉剂上瘾的问题，还必须结合基因及其他大量让人们使用或远离麻醉剂的非基因因素。

## 意志力能挽救我们吗？

对麻醉剂简单地说“不”是改掉一个习惯最简单的方法。不幸的是，这种明确而低成本的方法也最容易失败。例如，在任何确定的一年内，试图说“不”的 20 个人中只有一个人能戒掉烟。未经训练的意志力看起来是一个很棒的对策，但是等到弱点一起来反击——我们点燃一根烟或调一杯玛格丽特酒的时候，它就无可奈何了。

嗜酒者互诫协会（Alcoholics Anonymous，AA）及类似的计划被人们看作是一种能提供超级加强型意志力的组织。它们给会员提供了一种复杂的支持系统，其核心理念在于：成功依赖于个人的自制力。但即使是 12 级的意志力也没有起到太大作用，批评者称仅有 5% 的 AA 会员在一年中能保持清醒。支持者对于 95% 的失败率提出质疑，但不管确切数字是多少，意志力并不是解决问题的法宝。

意志力的失败令人气馁。我们确实感到如果能再坚强一些，就能保持清醒。但是，我们周围的人经常是不明白上瘾是怎么回事的人。从某种意义上讲，14% 的美国人都会遇到严重的嗜酒问题。这个数字令人咋舌，但它同时也意味着 86% 的美国人绝不会对酒精如此依赖。这些对酒精持反对态度的多数人可能会说：想养成良好的生活习惯，只需要下定决心，再加上一点点精神上的勇气就够了。

我们无法控制对麻醉剂的激情，其根源不在于人格缺陷，而是由于欲望的强大。对某些人来说，这种欲望是压倒一切的。仅仅是为了喝酒，高尔夫球员约翰·戴利宁愿失去 300 万美元。托马斯·科温顿这个瘾君子中的绝顶高手，曾因吸毒入狱 31 次。他说，尽管他知道会被捕并处以罚款，但还是要吸，因为“一旦毒瘾上来，什么处罚、威胁都统统顾不得了”。

上瘾，绝不单纯是一个意志力的问题，而是具有强大的进化和生物学根源。大脑线路上的轻微不同使我们对化学物质操控力的敏感度也不同。虽然我们的弱点各不相同，而且多数人并不像约翰·戴利和托马斯·科温顿那样走极端，但我们每个人对破坏性物质还是具有强大的本能渴望。

由于麻醉剂在我们的基因快感之路上横刀杀出，所以滥用化学品的战争是以我们自己为对手的。由于摄入像可卡因之类的多巴胺会再摄取抑制剂，所以神经元会沐浴在多巴胺带来的狂喜中，此时的大脑恍若置身天堂，完全不顾我们知道服用麻醉剂是不对的，或者我们体内的那一部分根本不需要麻醉剂。这就如同每次小狗在沙发上小便之后，你都拍拍它，再奖它一根大骨头。你认为这样能让它学会到户外撒尿吗？

停止服用麻醉剂也会有类似的挑战性。就像是要我们自己以后别再想食物和爱情一样，大脑不会对这种命令信以为真。若是一种行为能给大脑带来最高的奖赏，那么再想停止不做，谈何容易！所以如果单纯靠意志力常常不足以取胜的话，我们也不会感到惊讶。我们不应该仅仅试图靠“对付”来处理一种要主宰我们生活的瘾症。

对那些从未试过麻醉剂的人来说，避而不沾事实上可能是上策，对于有家族上瘾史的人而言尤其如此。绝不尝试比中途退出要容易得多。但对那些已经上瘾的人来说，只是说“不”并不能帮助他们戒掉麻醉剂。但幸运的是，科学正在想方设法地帮助他们。

## 摆脱上瘾的一些技术疗法

耶稣诞生前几千年，生活在苏美尔（现代伊拉克的一部分）的人们已经喝上啤酒了。他们十分喜欢喝酒，我们可在废墟中频频发现有关啤酒的石壁画。同样，据说早在征服者到来之前，中美洲原住民玛雅人就开始服用从蟾蜍身上提取的能引起幻觉的化合物了，而且玛雅人的这种麻醉剂混合物还曾作为“蟾蜍灌肠剂”用于结肠治疗。许多其他远古人类也都服用过天然麻醉剂。

偶尔使用麻醉剂明显没有引起多少问题，然而，这些天然的麻醉剂会在现代化学的加工下变得更加有效力。例如，许多人在咀嚼可可叶子时都会获得一种类似于咖啡因引起的沉醉感。虽然可可叶子所含的可卡因不到 1%，但经过提纯至 60% 或更高水平之后，其浓度和诱惑力都会增大。据报道，顶级可卡因产生的快感比任何自然行为带来的快感都强烈得多。因此，人们总不惜以生命和背叛家庭为代价来换取这种兴奋的感觉就毫不奇怪。

因此，是现代技术把一种相对无害的产品提纯从而使之成为毁灭者的。世界上至少有 1 400 万种化学物质，几个世纪以来，麻醉剂生产商对其中一二十种进行了加工提炼，这些物质恰好能刺激我们神经的幻觉。消遣性麻醉剂刚好是和大脑的快感线路结合得最有效的化合物，这并非巧合。然而，就像终极双重间谍一样，技术也可能成为我们与麻醉剂战斗中的最强大的盟友。

回想一下由已故大导演斯坦利·库布里克（Stanley Kubrick）执导的电影《发条橙》（*A Clockwork Orange*）。影片描述的未来社会满是青年暴徒，他们从暴力和故意伤害他人中获得快感。传统的遏制暴徒的方式造成了大量昂贵的警力投入，并使得监狱人满为患。

于是，当局不再压制这些年轻人，而代之以一种“革命性”策略。警察对他们的头目亚力克斯实行再教育。只要他看到电影中的暴力镜头，他就要受到拷打，最后他一想到暴力就会生病。这种“发条橙”计划是具有镇压性的，也以失败告终。然而，它使用了一种控制麻醉剂的替代策略。与其压抑这种毁灭性的激情，我们何不把这些强烈的欲望扼杀在萌芽当中？

想想那些“飞红者”，酒精对他们来说很难承受。虽然有些人的最爱就是好好喝一杯马提尼，而“飞红者”一喝酒就会不舒服，结果是，他们成为酗酒者的概率要小得多。他们就是对酒不那么感兴趣，对他们而言，保持清醒并不需要什么意志力。我们可以利用这样的信息来帮助他人吗？

想象一下，你得到了一种灵丹妙药，一吃下去就可以让病人变成“飞红者”。这种药大约存在了 50 年，叫戒酒硫，它能够使人体的酒精处理机器失去效能。服用之后，喝酒就会引起体内毒素的积累，让人觉得恶心，产生“飞红”反应。

戒酒硫看起来就是为挫败酗酒而量身定做的。然而，多数研究的结论都认为，它对于对抗酗酒所起的作用微乎其微。怎么会呢？看看服药者的卧室、垃圾桶或厕所吧。酗酒者会把每天要吃的药倒进厕所，或者先“含着”，稍后吐掉。这种事情非常多，他们甚至会欺骗自己爱的人——一个嗜酒者的妻子发现丈夫把要吃一个月的药都码放在厨房的门框上头了。

虽然戒酒硫的原理是对的，但是其作用消失得太快。嗜酒者扔掉了药丸，以便可以在几天后的某个时间小小沉醉一下。新的抗瘾化学物要想有效的话，那么它应该做到能让人用短时间的意志力来保证持久的自制效果。想想看，要是这种药一年只需吃一次，或者可以作为疫苗给儿童接种，那它的效果该有多好！

目前，一批抑制欲望的药物正在研制当中。例如，一种尼古丁疫苗最近显示出能达到持续减少由吸烟而产生的快感的效果。另一个叫作 BP 897 的药则是一种对抗可卡因的双料化学品。人清醒的时候，它可以将人对可卡因的欲望降至最低，同时能给予多巴胺系统些微的刺激。一旦人吸入可卡因，BP 897 就会翻脸，阻止麻醉剂发挥作用。

以上这些及其他那些正在开发中的产品有希望极大地扩展人们

选择的余地，但我们渐渐就会遇到像《发条橙》里那样的困境。政府能否要求违法犯罪的人服用这些药物以示惩罚？我们是否应该让孩子“免疫”，即使这样做会损害他们的一些激情？尼古丁疫苗和功效更为持久的戒酒硫的发明使我们在对抗麻醉剂方面取得了长足进步，但还有另外一种科学方法可用来减少服用麻醉剂的代价。

我们抽的香烟中含有令人愉快、让人上瘾的尼古丁。据说监狱之所以令人不快，不仅仅因为它让人失去自由，更由于你不得不和那群囚犯打交道。同样，吸烟造成的损害并非都来自尼古丁，而是烟草中的其他成分。现在，科学允许我们通过尼古丁贴片或咀嚼口香糖来获得吸烟的快感，同时能避免烟草中致癌成分的侵害。

通过尼古丁贴片或口香糖，我们更容易戒掉烟瘾。如前所述，只有 5% 的试图靠自己戒烟的人能够成功。而在另一项研究中，通过使用尼古丁贴片食疗法，4 000 人中有超过 40% 的人可以在一年之内远离香烟。这些人并没有戒掉对尼古丁的迷恋，只是科技使他们可以在更少副作用的情况下获得过瘾的感觉。

> 虽然当前的对策还不完善，而且有限，科技却许诺使两种方法都能获得更长期的功效。将来，我们要么是更多地压抑自己的欲望，要么是更多地使用能让我们在其中获得享受的新式化学药品。

美沙酮[1]是另一个以毒攻毒的例子，它像海洛因一样能刺激我们天然的快感神经。在美国，从前服用过海洛因的 10 多万人现在改用美沙酮，而且能过上相对正常的生活。就像使用尼古丁贴片的人一样，美沙

① 美沙酮（methadone），一种人工合成的麻醉药品，临床上用作镇痛麻醉剂。——编者注

酮的使用者并没有消除他们的欲望，只是在更小的代价下满足了欲望。电影《安妮·霍尔》（*Annie Hall*）中的一个人物总结得好：“以前我是海洛因瘾君子，现在成了美沙酮瘾君子了。”

在可预见的未来，我们还会生活在这样的一个世界里：烟草公司、烈酒制造商和药品垄断企业还会千方百计兜售其他危险而令人向往的化学品。虽然当前的对策还不完善，而且有限，科技却许诺使两种方法都能获得更长期的功效。将来，我们要么是更多地压抑自己的欲望，要么是更多地使用能让我们在其中获得享受的新式化学药品。

# 第4章　冒险：寻求刺激的基因欺骗了我们

## 冒险代价高，诱惑却不小

你有没有听说过美国各州举行的一种彩票游戏？人们称之为“掏出1美元，扔进垃圾堆”。实际上，这么讲不是很公平。这种游戏会返回50%的赌注，所以把它叫作“掏出50美分，扔进垃圾堆”更为贴切。由于中奖的概率极低，有一年平均每个美国人花了150美元在这上头，结果输掉了200亿美元，这可能显得有点疯狂。

> 对赌博的普遍热爱只不过是我们从冒险中找乐子的一般倾向中的一小部分。

赌博一度只限于在水手和街头混混中间流行，后来却变成了主流活动。美国拉斯维加斯和大西洋城虽仍吸引着数百万游客，但现在遇到了许多竞争对手，如美国本土赌场、赛船赌博、无所不在的州内彩票，以及新兴的互联网赌博社区。很快我们就会毫不迟疑地去满足自己的赌博冲动，尽管它可能使我们倾家荡产。

250万美国人都有严重的赌博问题。对于那些最不能承担损失的赌家来说，其赌注之高与其收入极不相称：家庭年收入不足1万美元的抽奖者会花上3倍的钱买彩票，他们在这上头花的钱与那些家庭年收入超过5万美元的人一样多。美国人每年在合法赌博上累计共输掉500亿美元。

为什么我们会通过糟糕的赌博来寻找乐趣呢？我们仅仅只是那些铺天盖地的广告、贪婪的庄家和寻找易得之财的州政府的受害者吗？很不幸，找替罪羊不那么简单。

放眼全球文化，我们可以发现自身所面临的状况——赌博是全球性的。事实上，无论在拉斯维加斯、蒙特卡罗还是香港，美国式赌博卡西诺（casino）及其他赌博形式都很盛行。这种对游戏的爱好甚至也波及了非工业社会。以哈扎人（Hadza）为例，他们生活在非洲，以狩猎和采集为生。他们从没有见过关于彩票的电视广告，但还是把大量时间花在了赌博上，以至于有人说他们喜欢玩“机会游戏”（games of chance）胜过游戏的机会（chances of game）。

对赌博的普遍热爱只不过是我们从冒险中找乐子的一般倾向中的一小部分。任何喜欢把车开得稍快一些的人都明白飞速行驶会有一点危险。毫无疑问，我们看电影看的是反叛类型的，而不是看什么买保险的片子。广告里充斥着攀岩和蹦极的人，却很少有正面描绘小心谨慎的人们在起居室里戴头盔和护目镜的镜头。

我们对风险如此心醉神迷，以至于不惜代价来冒险。为什么呢？

一部分解释是，我们的算术很糟糕，似乎不能正确计算概率。以加利福尼亚州的彩票大抽奖为例。游戏规则是：你要在 1～51 之间抽出 6 个数字，如果这 6 个数字不论次序如何与 6 个中奖数字相同，你就中奖了。根据这个规定，你取胜的概率有多大？请写下近似的答案。

还有一个智力测验。过去，中国的家庭十分看重男孩。我们假设生女孩的概率恰好是 50%，但是每对夫妇在生了男孩之后都会停止生育。所以有一半的家庭只有 1 个男孩，1/4 的家庭有 1 个男孩 1 个女孩，而 1/8 的家庭有 1 个男孩 2 个女孩，等等。在这种情况下，男孩在中国孩子中的比重是多少？（答案在后面揭晓。）

另外一个例子。想象一下，如果你是一名医生，有一位病人要求做 HIV（人类免疫缺陷病毒，即艾滋病）测验。你对她保证说没这个必要，因为像她这个年龄、有相似性经历的 1 000 个女性里头只有 1 个会被感染。她坚持要做，不幸的是，检查结果表明她受到了病毒感染。如果 HIV 测试精确率为 95%，你的病人真正患病的概率有多大？

以下是上述问题的答案。先拿 HIV 测试来说。当哈佛医学院的医生和工作人员被问起这个问题时，最常见的答案是：病人得病的概率是 95%。他们大错特错了，正确答案是不到 2%（我们在本章稍后再做解释）。

即使是在“生了男孩就不再生了”的规则发挥作用的情况下，中国人口中仍有 50% 是女孩。加利福尼亚州彩票中奖率为 1/18 000 000，而一个人从床上掉下来摔死的概率比这还大 9 倍。

你的答案要是不对，也不要感到郁闷，因为绝大部分人都很难答对，而这正是关键所在。人类在这类问题上的统计能力就是很差，我们在风险分析方面的问题还有很多。我们怕飞机坠毁胜过对车祸的恐惧，即使死于车祸的概率高得多。掷硬币的时候，一连 5 次都是正面，我们还是相信下一次更可能是反面。诸如此类的事情还很多。

于是就有两个未解之谜困惑着我们。一个是，人们为什么能从冒险中找到乐趣？另一个是，我们对那些风险概率的计算能力怎么这么差？

## 冒险的基因是如何遗传的？

动物通常总是显得不怎么愿意冒险。例如，两只重 180 多千克的赤鹿争夺母鹿时很少角斗。起初它们会站在一起吼叫，如果一只鹿的叫声更强有力，另一只就会夹着尾巴溜走。如果二者的叫声不相上下，它们就会进行“竞赛”，一边互相审视，一边使自己的“家伙”勃起。如果一方明显偏小，它就会撤。

吼叫和赛“家伙”都是不必冒险的机制，赤鹿就是用这种方式来决定它们谁会赢得战斗的。更大、更健壮的动物发出的叫声更大，而检验阶段则显示了其块头和肌肉。只有这两个极端的比赛结果旗鼓相当，才会升级到身体对抗。即便如此，致命的情况也很少见。

在许多动物中，避免致命性搏斗和喜欢比块头这种简单的策略都很普遍，从哺乳动物、鸟类到昆虫，都是如此。这表明动物是逃避风险的，但是当你进一步细看时就会发现，动物其实也常常要去冒一些生命危险。

一些蜘蛛的行为类似于吼叫、炫耀的赤鹿。两只公蜘蛛争夺一只母蜘蛛时，它们会比个头，小的一只会离开。在一个异常残酷而又很明智的实验中，研究者让一只个头非常之小的公蜘蛛——我们可以叫它“小小”——和一只母蜘蛛进行交配。

对于这些蜘蛛，公蜘蛛要花上几个小时的时间才能让母蜘蛛受精。正当“小小”的精子要发挥其基因魔力时，研究者引入了一只个头很大的公蜘蛛——“呆大”。

你猜会怎样?“小小”就要赢得一个基因大奖了，所以它一反早先撒腿就跑的态度，准备跟这个竞争者干上一场。“呆大”注意到它们的身材差异，精神抖擞地投入了战斗，满以为“小小”会逃跑。两只公蜘蛛真打起来的话，有 90% 的可能会造成死亡或严重损伤。体形小一点的公蜘蛛中的 80% 都会战败，而且几乎因伤致死。但也有 20% 的概率是小家伙会打赢并获得丰厚的基因回报。

我们得到的启发是：动物会为回报而冒险。逃走的小蜘蛛能活命，但不可能再找到另一只同样成熟的母蜘蛛，而它不喜欢冒险的基因也会随它一起消亡。许多动物母亲都会冒死保护它们的孩子，这也是出于同样的基因上的原因，即想赢得进化竞赛的胜利。胜利者会将其基因连同其冒险的本能传给后代。

人类的冒险也毫无二致。我们知道人类最早出现在东非地区，然后遍布全世界。想象一下有两种人，一种人蜷缩在洞穴里，另一种人则会去探索新的领域。虽然许多冒险的人都死了，但那些赌了一把并获得胜利的人则让自己的足迹遍布全球。

今天在许多不同的文化中，冒险还有许多明确的基因上的好处。例如，南美的原住民雅诺马马人，他们以狩猎和小规模的采集为生。这是一个好战的民族，超过 1/4 的男子死于暴力。一个男子如果能杀死至少一个同性，就会被称为 Unokai，但他们多半也会死于受害者的亲属之手。

为什么雅诺马马男子会冒险杀人？因为那些杀人后还能存活下来的人会拥有更多的妻儿。一项长期且广泛的研究将研究对象定位于 137 个 Unokai 人和 243 个非 Unokai 人。前者平均有 1.63 个妻子（一夫多妻在他们那里是合法的），4.91 个孩子；而后者平均只有 0.63 个妻子，1.59 个孩子。

现在我们明白人们为什么能从冒险中获得乐趣了。在自然环境中，如果冒险是明智之举的话，人类和其他动物会甘愿冒风险。我们就是那些离开洞穴、冒险成功的人的后代。

## 天生我才为冒险

我们的基因是通过让危险变得激动人心来引诱我们冒险的。坐过山车或骑摩托车时，我们总会感到震撼、刺激。冒险能够激发大脑中的一个生化奖励系统，生产出让我们感觉十分美妙的化学物——多巴胺。

特里的一个熟人罗德很喜欢世界各地危险的冒险活动，而且他还喜欢为此进行豪赌。特里听了罗德的一些冒险经历后问道：“你喜欢吃辣吗?”当然喜欢。罗德不但喜欢墨西哥胡椒，而且身上随时都带着一瓶辣椒酱。

罗德对辣椒的爱好走向极致的表现是他参加了一个吃辣椒比赛。比赛中两人一对一地吃辣椒，辣椒一个比一个辣。在决赛中，罗德胜出。辣椒把他的半边脸都辣麻了，而且这种感觉持续了将近一周。而他的对手则有风度地退出了比赛，没有和他一决高下。这和基因有什么关联呢?

冒险行为刺激着多巴胺奖励系统。一些人的系统生来就被他们从冒险得来的沉醉感给削弱了。天生具有这些不寻常的多巴胺受体（因此会降低快感之途上的刺激感）的人为了寻求多巴胺高潮会采取极端的形式。他们是冒险迷：蹦极者、赛车手或探险者。他们生性冲动，出手阔绰，是拉斯维加斯的顶级赌棍。就像罗德那样，他们比其他人都更喜欢吃辣。

媒体称之为“求新”基因。最近甚至有证据表明，这单个的基因在一个人群中的普遍程度与这群人迁徙的远近之间有密切的联系。

人类起源于非洲，然后移居世界各地。最漫长的迁徙之路是通向南美的。这些人从非洲横跨亚洲，经过这块“陆地桥梁”抵达北美，然后一路南下。

南美原住民是这些在数千年中一再迁徙的人类后裔。他们中超过

2/3 的人拥有“求新”基因，且比其他人群都更为普遍，其比例还远远高于现代非洲和欧洲人——他们仅有 1/4 的人有这种基因。

其他一些基因差异也影响到我们的风险选择。例如，一个人体内的单胺氧化酶[①]越少，他寻求刺激和冒险的可能性就越大。随着时间的推移，我们可能会发现更多引发类似行为的基因，并且会破译它们的基因密码。

我们中的一些人比其他人更喜欢来一次过瘾的蹦极。即使是那些拥有标准数量的多巴胺受体和正常水平冒险分子的人也对这种冒险的冲动没有什么免疫力，所以游乐园和赌场才有如此广泛的感染力。还在找那个替罪羊吗？朝我们的身体内部看看吧，是基因使我们冒险成瘾了。就像受到非法毒品的引诱一样，我们迷恋于危险及其调制的化学鸡尾酒。

我们的基因甚至得寸进尺，把一种毫无理由的乐观主义植入我们的天性，而这反过来又会诱使我们常常高估自己取胜的机会。

我们的基因甚至得寸进尺，把一种毫无理由的乐观主义植入我们的天性，而这反过来又会诱使我们常常高估自己取胜的机会。在电台节目《牧场之家好做伴》（*A Prairie Home Companion*）中，加里森·凯勒谈及一个虚构的城镇“悲愁湖”时说：“那里所有的孩子都异乎寻常地出色。”

作为一个群体，我们多半是普普通通的人，这是一个数学上的事实。但当别人问起来时，我们会很自信地宣称自己会比其他人活得更长，更少得病，甚至连买的股票都会是市场中表现最好的。在一项研

① 单胺氧化酶（monoamine oxidase）是大脑中的一种化学物调节器。——译者注

究中，有 94% 的男子认为自己在体育能力方面应该属于中上水平。这种过分自信甚至使人们相信他们买彩票能中奖（当然，有的人确实中了）。通过制造不现实的信念，基因唆使我们去冒一些我们本来不会去选择的风险。

这个冒险之谜的一部分已经被解开了。人类会冒险，因为我们就是那些爱冒险、爱下赌注的人的曾曾曾……曾孙辈。就像其他动物一样，我们的身体和大脑中的一些系统有时也会把我们赶向不确定的道路。

然而，第二个问题还没有回答。为什么人们做冒险决定的能力会那么差？进化钟爱的应该是那些能做出正确风险选择的人，而不是鲁莽的赌徒。如果小小的蜘蛛能计算出何时是掷骰子的最佳时机，并敢于同大块头的对手进行较量，那我们又为什么不行呢？

## 动物中的天才

有些动物在统计方面出奇地能干。想想看，啄木鸟必须决定该啄哪些树木，有些树干中满是美味的虫子，但有些则相对较少。要解决这个问题，人类必须诉诸复杂的统计学。而啄木鸟是如何做出正确的选择的呢？

在一个实验室里，工作人员为啄木鸟准备了两种人造树木，每一种上面都有 24 个洞。其中一种树干中全是空的；而在另一种树的树干中，24 个洞里有 6 个里面有食物。如同石油投机分子一样，如果在一棵树的洞里总是找不到虫子的话，啄木鸟就要换地方了。

但是要经过多少空洞，啄木鸟才会离开一棵树到另一棵树上去找呢？要是离开太早，它就会因前几次的不走运而错失一片沃土；而走得太晚，它又会失去别的机会。

高等数学为我们计算出了答案。为了吃到最多的食物，啄木鸟应在连续 6 次遇到空洞之后离开这棵树。那实际上啄木鸟是怎么做的呢？它们平均找 6.3 个洞。啄木鸟的计算接近完美，而且比一个未经专业培训就回答这一问题的人好得多。当研究者对空洞的个数进行增减之后，啄木鸟也会相应地改变其尝试的次数。

不光啄木鸟这样。蜘蛛、鱼、赤鹿及其他许多动物解决的问题都需要具备麻省理工学院博士的数学能力。它们的小脑瓜是怎样胜任这种工作的呢？啄木鸟面临类似的问题已经有几万年之久了，今天的啄木鸟从那些能有效找到食物的祖先那里继承了这些能力。“如鱼得水”这个成语说明了这么一点：动物能依靠本能解决那些在自然环境中常见的问题。

## 人类已进化，风险却依旧

当涉及预测死因的问题时，我们的统计推理则显得很尴尬。例如，在一个平常的年份里，美国人死于自然灾害（龙卷风、洪灾、闪电）和糖尿病的风险哪个大？美国人认为自然灾害的危险更大。但在 1997 年，62 636 个美国人死于糖尿病，而只有 227 人死于龙卷风、洪灾或闪电。

同样，女人则害怕死于妊娠，即便几乎没有人死在妊娠并发症上。1997 年，291 个美国人死于妊娠（其中包括死于堕胎的母亲），而 159 791 个美国人死于中风。

包括怀孕在内，我们的恐惧和对死亡率的估算都严重偏离了现实。

我们大大高估了死于事故、谋杀和被蛇咬的风险，同时大大低估了大量疾病和接种疫苗导致的死亡。人难道真是统计学菜鸟吗？为了做出好的风险决策，精确估算风险是有帮助的。但是，以上所引用的数字全都来自当代美国。

在现代医学和舒适生活出现之前，我们的祖先面临着什么风险呢？我们对此不能确定，但是可以观察一下是哪些原因造成现在仍生活在非工业化环境中的人们的死亡的。

> 随着研究的深入，我们会发现，人类在许多风险上的判断失误都有一个共同的原因：我们生活的世界和祖先们的世界已大不相同。

Ache 人是生活在南美的一群采集者。对他们的一项长期研究表明，在有记载的 87 位死亡的男子中，有 12 个是被蛇咬死的，7 个死于美洲豹的袭击，2 个被闪电击中，6 个在械斗中毙命。而在有记载的 39 位死亡的女性中，有 3 个被蛇咬死，被美洲豹和闪电致死的各 1 个，3 个妇女在妊娠中死去，占死亡女性的 10% 左右。

今天，一个美国妇女一生中死于妊娠并发症的概率为 1/3 700。而在非洲，由于怀孕次数多，加之医疗条件较差，妇女死于妊娠的概率为 1/16。我们祖先的死亡率可能与现代非洲和 Ache 人的情况相仿，换言之，怀孕及其并发症是古代妇女的主要死因之一。

在现代医学出现之前，人类并不会因为中风而静静地死在养老院。而且，大多数疾病都没有治疗的办法。如果害怕行凶者，他还可以想办法来保命，但在没有医院的世界里，害怕癌症也无济于事。

以我们祖先所处的世界来说，我们的恐惧实际上是理性的。祖先们会被蛇咬死，会被动物（包括人在内）杀死，会死于事故，也会在生孩子的时候死去，所以我们被遗传到的这些本能的恐惧对于他们的世界而言是合宜的。随着研究的深入，我们会发现，人类在许多风险上的判断失误都有一个共同的原因：我们生活的世界和祖先们的世界已大不相同。

有一个恰当的例子：报刊出版者的票据交换所（Publisher's Clearinghouse）在苦苦挣扎了多年之后决定不再给新会员颁发中等数额的奖金，而代之以低概率的巨额大奖。一位管理人员说："人们不关心概率，只在乎奖金。"虽然奖金的金额增加了，但中奖的机会大大减少了。令人奇怪的是，人们竟对此趋之若鹜。为什么？这说明我们在估算极不可能的事情上能力低下。

没有人知道我们为什么在这些情况下如此易受愚弄，有一种可能是我们祖先生活的世界里没有多少人。以捕猎和采集为生的群体也就100人左右。在人类不久前的遗传时间尺度表上，当时全世界仅有1.8万人。

看到别人在电视里中大奖的时候，我们的大脑想象不到现代人口的巨大规模，它们在我们的基因经历中从未出现过。本能告诉我们，我们自己的运气也差不到哪儿去，所以也许我们也应该效法那些中奖者。可事实是，我们中奖的概率比想象中要低得多。负责马里兰州彩票发行的官员巴迪·鲁构说过："幸运儿可能会是你，但也许不是。"

让我们回到HIV测试这个谜团上来。我们先假定测试者中每组有1 000人，其中一个是病人，而其他人都是健康的。现在给每个人进行测试，有多少人的测试结果表明他们有病？咱们算一下。首先，真正的患病者的测试结果肯定会是阳性的。但95%的精确率意味着，在这些健康人中间有50个人（5%）的测试结果错误地显示他们也是患病者。所以有 51 个人听到了坏消息，但他们中间只有 1 个人（2%）是真正有病的。

在一次次测验中，关于概率的问题人们都答错了，大多数人都没有答对关于中国男孩比重的问题。有一半的家庭只有 1 个男孩，1/4 的家庭有 1 个男孩 1 个女孩，而更小比例的家庭有 1 个男孩和更多女孩。男孩的数量看起来好像很多，但事实上，因为每个孩子是女孩的可能性都是 50%，所以不管这些孩子在各个家庭中的分布如何，男孩的比率都是 50%。

如果聪明的啄木鸟或勇敢的蜘蛛也来做标准的智力测验的话，它们会拿个大零蛋。动物在解决进化过程中出现的对它们及其祖先都很重要的问题时表现得确实很聪明，但是它们若被放到一个新的环境中去的话，就会显得很笨，所以有成语云“虎落平阳”。

对人类来说也是如此。但一个重要区别在于，许多动物仍生活在古老的环境中，而人类却并非如此。所以动物通常显得相当聪明，而人类却经常显得很蠢。

## 运气中的主观判断

像大多数人那样，杰伊也喜欢偶尔赌上一把，他还和妻子莉萨一起定期举办扑克游戏。游戏最好玩的部分是当一笔大奖摆在那里且许多人都在下赌注的时候，杰伊发现如果指定更多万能牌[①]的话，一定会使赌注加大。

---

① 万能牌，原来的扑克牌共 52 张，后来增加了一张 joker，就是“wild card”或“joker wild”，它可以代替任何一张牌。如果你手里有这张牌，将它与其他牌组合，你的胜算机会就大多了。——译者注

有万能牌，人们会下更多赌注，因为他们难以重新估摸更有可能出现的实力派。例如，他们相信除非遇到 4 个同花，其中包括 2 张万能牌，他们才可能输掉。如果几个玩家都信心十足，那赌注就很有可能升级，奖金也会更多。

彩票处的工作人员也想出了类似于万能牌的东西。他们发明游戏引诱赌徒来玩，同时还会利用我们喜欢斤斤计较的一面来愚弄我们。事实上，多数人都不知道我们取胜的概率是多少。像之前所说的，要想在加利福尼亚州中奖的话，需要你抽出的 6 个数字与 1～51 之间的 6 个数字相同。为什么这样规定？就为了掩饰那小得可怜的概率。在此类数学问题上，人们会把中奖的概率夸大十多倍。这也是为什么彩票处会对此大加利用。

让我们正视这个问题。如果一位朋友说："我在脑中想一个 1～18 000 000 之间的数字，看看你能不能猜中。"你猜中的希望不会太大，你也不会为此下赌注。

商家还会以其他方式利用我们的本能。在一个实验中，研究者想出了一个玩彩票的新花样。他们允许一半人自己抽号，而随机给另一半人分配号码。在抽奖之前，研究者又从实验对象手中买回这些号码。

他们有什么发现呢？那些分得号码的人愿以平均不到 2 美元的价格卖掉手中的号码，而那些自己抽号的人的要价则在 8 美元之上。这种巨大的差异显得很蠢。彩票中奖与否纯粹靠运气，所以每个号码，无论是自己抽的还是被分配的，都有同等的价值。

> 在一个完全靠运气的游戏中，我们会基于不相干的因素急剧改变自己的行为，不管我们的对手是爱因斯坦还是阿甘，这都无关紧要。

在另一项相关研究中，人们要和对手玩一个碰运气的游戏。每个人抽一张牌，大牌为赢。一半的玩家面对的是一位衣冠楚楚、举止自信的对手；而另一半人的对手则有意显得畏缩，衣服也穿得不合身。

赢过那位很酷的强大对手的机会是多少？50%，和赢过那个畏缩的傻瓜的机会完全相同。记住，这个游戏全靠运气。然而在实验中，玩家们遇到勇气不足、衣着不当的对手时，他们下的赌注增加了47%。

我们再一次看到了人类不理性的证据。在一个完全靠运气的游戏中，我们会基于不相干的因素急剧改变自己的行为，不管我们的对手是爱因斯坦还是阿甘，这都无关紧要。

现在，请把人类学家的帽子先戴上一会儿。在多数真实的境况下，你更可能打败一个出色的能手，还是一个犹豫的傻瓜？显然，我们几乎总得记住比的是什么。你会为和维纳斯·威廉姆斯的网球比赛打赌吗？在纯粹碰运气的游戏中，我们的行为显得很蠢。但和我们的其他弱点一样，本能在社会互动这种更自然的环境中表现得还不错。基因告诉我们要评估对手。

可以预测的是，卡西诺和其他赌博游戏会利用我们的每一个赌博本能。我们走到牌桌前，会给看起来很有能力的人下更高的赌注。许多赌场允许我们挑选自己喜欢的号码。如果聪明的话，他们会让所有玩21点牌的发牌员都穿上愚蠢的衣服。他们确实是这么做的。

## 不吃苦头就能找到刺激吗？

《周六夜现象》（*Saturday Night Live*，一档NBC的王牌综艺节目）中有一个为愚蠢的企业做虚假广告的传统。其中一个广告是为一个专门换零钱的金融机构——“首家城市零钱银行”做的。其口号是：“给我们 10 美元，我们给你两个 5 美元。给我们 2 角 5 分，我们给你两个 1 角和一个 5 分。我们靠什么赚钱？规模。”

不论这家交换银行有多大的规模，如果每一次交易都没有油水可捞的话，它肯定赚不到钱。同样，买卖风险的公司也只有在拿走我们的钱之后才能赚钱，他们绝不会不惜代价去买卖风险。比如，投保人买每一笔保险单花的钱都比投保人平均能拿到的钱要多，这是保险公司能生存下来的唯一途径。

仅仅由于投保对客户来说是送钱的买卖，是不是就意味着我们不该买保险？当然不是。我们买的任何东西，不管是福特汽车还是沃尔夫冈·帕克[①]的比萨饼，其卖价都比成本高。而我们在许多情况下都要买保险。不幸的是，一些产品会被精心设计从而利用我们的冒险本能，而我们则经常会受到愚弄。

想要做出正确的行动，第一步是要清楚分析局势。当推销员向我们兜售家庭保险或冰箱保单时，我们应认识到这个交易一般而言是要让我们花钱的。就像对任何产品一样，我们只应在确保弄明白了这些能够降低风险的产品到底是怎么回事，以及确定它们比我们出的价还值的情况下再买。

与此类似，州内彩票或赌场举办的每一次赌博都算是让我们花钱的提议。许多人发现这些提议物有所值。但是就像对待买保险一样，我们应该在投钱之前先搞清楚保险条款。

例如，花在轮盘赌上的每 1 美元都会返还 95 美分。在轮盘赌上无

---

① 沃尔夫冈 · 帕克（Wolfgang Puck），美国排名第二的名厨，被誉为美食大熔炉的教父，他开有多家餐厅。——译者注

所谓好赌注和坏赌注，你可以把它当作花 5 美分来买价值 1 美元的刺激。与此形成对比的是，掷骰子的时候，玩得好的话，只花 0.5 美分就可以来一把价值 1 美元的赌博。而玩得不好，则可能要花上将近 10 美分。所以要是那种刺激值得花 5 美分的话，你就放心去玩轮盘赌吧。但是不要掷骰子，除非你能分清怎么赌好，怎么赌不好。

此处的要点并非在于我们都要了解玩卡西诺的细节（虽然可能很好玩），而是我们没有必要在这种冒险游戏中上当受骗。要想在这些不确定的领域中胜出，我们必须依靠数学分析。虽然大多数人的计算水平达不到要求，但还是有大量的书籍和网络资源可以帮助我们。我们必须利用这些资源，而不是相信本能。

这儿有个小秘密。在本书中我们讨论了种种问题，而爱冒险则是特里本人最大的弱点。小时候他们家玩“股票和债券”（Stocks & Bonds）这个游戏时，他的弱点就暴露出来了。就像在真正的证券市场一样，玩家可以用纸制代币投资不同的公司。从一副标明每只股票价钱涨落的纸牌里发牌，就可以进行交易了。

游戏中有些比较保守的股票，一天变动的幅度只有 1/4 点或更少。还有石油公司“击钻”（Striker Drilling）的股票，它更像一个互联网公司。“击钻”公司的股票有时会上涨 20 美元，而有时又会下跌 17 美元。特里那时还是个孩子，他专门投资“击钻”公司，置身于股海沉浮中（而且一边玩一边大吃辣食），不能自拔。

1998 年，同一种对冒险着迷的态度使得特里深陷于每日的交易中。但他能做上 2 000 多笔交易，买进卖出价值 2.5 亿美元的债券。虽然获利良多，但他还是认为这种交易活动很无聊，让他很不开心。但是交易的诱惑几乎让他招架不住，所以他一次又一次地打破了要金盆洗手的许诺。怎么办呢？

> 意志力在强大的欲望面前常常退避三舍。控制住自己的关键在于预先采取措施来制约体内的“赌棍”。

他采取了双重对策。

其一，特里将账户从收费较低的互联网经纪人转到一个收费较高而反应较慢的传统经纪人那里。以前，交易的冲动涌上心头时，他只需敲几下键盘就可以。而现在换了新的经纪人之后，特里就得打上一个电话，和对方聊上 2 分钟的高尔夫球赛得分，另外还得付一大笔佣金。

其二，不再时刻盯着股票价格。通过互联网，人们可以像股票经纪人那样监管自己的投资。在那段时间里，特里真是度日如年。为了强迫自己下线，他一度把自己的电脑网线送到朋友那里，而当他觉得抵挡不住诱惑的时候，还会把网线寄出去，当然收件人是他自己。现在特里已经完全从股票交易中脱身了，所以他也能为自己生命中的其他一些事情腾出时间了。

当激情涌上心头时，再实施控制常常为时已晚。意志力在强大的欲望面前常常退避三舍。控制住自己的关键在于预先采取措施来制约体内的“赌棍”。具体到赌博，根据这种观点，就是我们绝不应该在玩牌的时候带着信用卡。请把它放在酒店的保险柜里锁起来。当然，放在家里更好。

现在在赌场里，只要押上驾照或更少的东西就可以借钱。赌场里的一些自动柜员机只能取钱而不能存钱。要想赢，我们得预先决定好最多可以输多少，然后要确保我们绝对不能超过这个底线。

在外面吃饭的时候，玩一种叫作“信用卡轮盘赌”的游戏很有趣。饭桌前的每个人都把信用卡放在帽子里或餐巾上。然后把侍者叫过来，由他选择一张信用卡，被选中的人为大家结账。这也是赌博，但不像彩票和纸牌，它无须什么花费。反复玩的话，结果会是由不同的人来付钱。虽然不需要花什么钱，这种游戏还是出奇地刺激。

还有其他方式能让我们可以用很小的代价，甚至倒过来赢点钱，从而获得刺激。所有的现存发明都在我们实际上很安全的时候却让我们觉得快要死了。现在的一些过山车的时速可达 130 千米，还包括一些来刺激我们本能的惊险动作。经过短暂的恐怖，我们就飞起来了，而且心里很美。同样，恐怖电影、跳伞、蹦极和许多影视游戏都调好了“化学鸡尾酒”让我们能无酒而自醉。

就冒险来说，历史上所有的免费午餐之母都是证券市场。买美国股票已经证明是非常好的投资，不过其中也充满了激动人心的起起落落。19 世纪初以来，买美国股票的长期投资者比拥有债券或黄金的人赚得多得多。在金融领域，我们可以冒险并从中获得回报。

然而，在投资这个领域，我们的本能常会使我们陷入困境。记住，人类在包括金融在内的许多领域都是过分自信的。金钱管理者虽然历经多年的训练，但其中多数人还是未能投中镖靶，对个体投资者来说就更糟了。有研究表明，我们买卖得越积极，输得就越多。股票既激动人心又有利可图，但我们得铐上那个潜伏在我们体内的过分自信的商人。

## 爬出来吧，果子在那儿呢

多年以前，约翰 · 奥康纳在和一位叫桑德拉的女子约会时显得很大胆。在两人第一次见面后，他不仅仅约她再出来一次，而且雄心勃勃地约了她十几次。他们现在怎么样了？还是一对愉快的夫妻。而该女子成了美国最高法院法官桑德拉·戴·奥康纳。

我们已经考察了人们太过冒险的例子，然而在很多时候我们发现了恰恰相反的问题：我们太胆小了。社会领域是我们应该有更多冒险的重要领域。

相对于我们而言，社会性的失败对古代人来说代价可能更加高昂。直到最近，人们还是从成年到老死都和同一群人生活在一起。在这种环境中，人们注定要成年累月地听着人家说他犯的错：这群人会围着篝火而坐，取笑那个"猴急的家伙"。

对古人来说，社会性的错误有时还不仅仅会使人们无休止地拿他们打趣，它还可能引起致命的后果。在我们祖先生活的危险世界里，个体不会过得很好。错误地冒犯了一群人或是一个社交冒险都会很快演变成一场噩梦。在雅诺马马人中，被扫地出门的人有时可能会被邻邦收留，但也可能被他们杀死。

所以我们的祖先在许多情况下都很胆小，这样是对的。与此相对照，想想如果约翰·奥康纳被拒绝的话会怎样？没什么大不了的。天涯何处无芳草，他还可以接着找嘛。我们开玩笑说人与人之间存在着"六度分隔"①，而我们的祖先之间不存在任何分隔。

在其他许多地方也有类似的变化。我们的祖先获得刺激的方法很老套：他们喜欢冒险。想想那个著名的"雪人"吧。大约 5 000 年以前，他出发去欧洲冒险，结果被冻死在冰川里。由于其尸体保存得十

① 六度分隔，美国哈佛大学心理学教授斯坦利·米尔格兰姆发现人与人之间存在"六度分隔"的现象，即你和任何一个陌生人之间所间隔的人不会超过 6 个人，你通过 6 个人就能认识任何一个陌生人。——译者注

分完整，人们现在还可以去博物馆瞻仰他。

对于“雪人”来说，一个“职业”上的错误让他命丧黄泉。但如果我们做了一个冒险的举动——如在一家财务状况不怎么好的互联网公司任职，而且也失败了的话，我们不会因此丢了性命。更常见的情况是，我们会找到一份新的工作，薪水也更高。如果失败的次数非常多，我们还可以写出一系列的图书，就像亿万富翁唐纳德·特朗普那样。如果只依赖本能的话，我们很可能会在职场生涯中显得过于胆小。

埃德蒙·希拉里爵士曾率领一群人首次登上了珠穆朗玛峰的顶峰。他说过：“有很多次我都快要吓死了，但是恐惧也可以成为一个刺激因子……你可以常常把自己的潜力发掘到曾经以为不可能达到的境界。”这其中传达出的好消息就是，我们不必通过爬山才能享受冒险的强烈刺激。

# 第 5 章　贪婪：在快乐的跑步机上奔跑

## 快乐的花钱时光

“如果你认为花钱买不到幸福，那是因为你的钱还不够多。”一则招聘广告如是说。额外的钱，特别是天上掉馅饼的时候，肯定会让任何一个人的日子一下子亮堂起来。似乎有了足够的钱，我们就会从此过上幸福的生活。事实上，如果我们让美国人说出一个能最大限度地改善生活的变化时，最常见的答案就是“更多钱”。

为了赚钱并寻求事业的进步，美国人比以往工作得都更加卖力。从前，富人都以闲暇闻名，现在即使是最富的人也要在办公室里花上更多时间，而假期却在变短。所有这些辛苦的工作给我们带来了什么呢？简而言之，就是毫无快乐可言的物质主义。

> 深刻而长久的幸福感并非来自物质状况的变化。

1972 年以来，美国人的平均收入（考虑到通货膨胀）已增加了超过 40%。每一年，研究者都在问：“你觉得生活有多幸福？”虽然我们的钱更多了，车子更安全了，房子也大了一倍，我们的回答仍然表明这段时间以来我们的满意度毫无变化。同样，自 1958 年以来，日本老百姓的生活比过去富裕了 3 倍，而他们并不认为更幸福了。因此，我们虽然更富裕了，却没有感到更快乐。这个结论显而易见，但也令人困惑：深刻而长久的幸福感并非来自物质状况的变化。虽然获得金钱、电视和汽车令我们快乐，但拥有这些东西却并不能令我们感到幸福。

除了金钱不一定能让人感到幸福，还有其他许多因素对快乐的影响也很小，这的确令人意外。例如，美国中西部地区的绝大多数人都把严冬看成是造成他们不快乐的原因之一，并且他们认为加利福尼亚的人会更快乐。加利福尼亚人确实喜爱他们阳光灿烂的日子，但是，他们并不觉得自己比中西部的人们更加快乐。

这可信吗？也许有人在说谎，说他们很快乐而实际上悲惨得很，反过来也如此（或许是加利福尼亚人想确保外地人不会迁移到他们那儿去吧）。我们该不该相信这些建立在当事人自我描述之上的幸福程度报告呢？由于幸福难以从外部衡量，所以除了简单地问一下人们感觉如何，很难找到可用的事实作为依据。其中，被公认为对幸福（或者更精确地说，不幸）不尽完善的测量标准之一就是自杀率。

如果钱能让我们更幸福，那么穷国的人们可能会比富国的人更想自杀，但事实并非如此。以日本为例，它是世界上较富裕的国家之一，在那里，人们常乘坐着飞驰的新干线去从事高科技工作。1998 年，日本的自杀率位居世界前列，仅次于芬兰这一富裕的国度。

在富裕的美国，1999 年有超过 3 万人死于自杀，另有 50 万人因自杀未遂而住院。死于自杀的年轻人比死于艾滋病、癌症和心脏病的总和还多。

如果根据关于幸福的物质主义观点预测，那么在任何一个国家的自杀人群中穷人应该会占多数。但我们又错了。自杀是美国青少年的第三大死因，而对于那些上大学的富家子弟来说，自杀则是他们的第二大死因。然而，非洲裔美国人虽然在整体上较为穷困，但他们的自杀率却比其他美国人低得多。

自杀仅是忧郁的冰山之一角。每年都会有 2 500 万美国人患上严重的抑郁症，有数千万人感受到周期性的不快。我们美国被恰如其分地标识为百忧解之国，过去的富人和富国从未有过此程度的物质繁荣。然而，我们中的许多人却也前所未有地感到抑郁并极易产生轻生的念头。

## 天生贪得无厌

我们的贪婪和不快乐应归咎于谁呢？广告确实对我们欲望的膨胀起了煽风点火的作用，但世界各地的穷人也和美国的雅皮士①一样追求物质目标。身处技术水平低下的社会中的人们看到西方消费品时，马上就会希望拥有冰箱、抗生素、迈克尔·乔丹牌 T 恤等，他们觉得拥有了这些东西就可以心满意足了。物质对人的诱惑强大而自然。

南美的原住民雅诺马马人生活在委内瑞拉和巴西交界处附近的热带森林里。1964 年，人类学家拿破仑·契农去那里和他们一起生活，发现那里没有电视或其他媒体影响这个部落的欲望和需求。他们缺少技术和工业的生活方式，就像是打开了展现我们在过去的进化年代的一扇窗。

雅诺马马人仅靠最原始的工具和武器就能获得许许多多的食物。他们采蜜（蜂蜜是他们喜爱的食品），照料芭蕉园，捕猎野猪、猴子、鸟儿，甚至还有少量的蛇。他们也吃棕榈虫和蠕动得像蛆一样的美味

① 雅皮士，指西方国家中年轻、能干、有上进心的一类人，他们一般受过高等教育，具有较高的知识水平和技能。——编者注

昆虫。

这些人生活的地方没有电视广告，也没有公司向他们推销产品，但他们和我们一样有对财产的渴望。到雅诺马马人那儿不久，契农带去的所有东西，包括衣服、工具、药品、食物等，几乎被一抢而光。

事实上，契农哀叹说，在和雅诺马马人一起生活的5年多时间里，人们经常缠着他要这要那，从火柴到手电筒，再到斧子。令他“痛苦不安”的是，甚至他在雅诺马马人中最好的朋友也不过是想方设法要进入他锁起来的小屋里去偷东西。

契农的经历和其他人类学家的经历相似。生活在非工业社会文化中的人最常遇到的一种情况是人们“敲门”向他们要食物、水、药和武器。占有物质的欲望是人类的通病。进攻性的广告战可能会刺激并强化我们体内怪兽的占有欲，这头怪兽会在我们所有人体内游荡。

不出所料，遇到诸如中奖和出车祸这类事情的时候，中奖者会欣喜若狂，而受害者则绝望不已。但是随着时间的推移，这些人的幸福感又回到了那些既没有中奖也没有遭遇祸害的人的平均水平。据报道，中奖的人获得意外之财后，甚至在一年都不到的时间里，其平均满意度就已经下降到并不比一般人高的水平。

参加拍摄音乐电视《真实的世界》（*The Real World*）的人都有类似的经历。拍摄一组典型画面时，7个年轻人免费住进了一座价值几百万的房子，里面摆满了豪华家具。一开始，他们完全被新的环境冲昏了头脑，激动万分，但是不久就陷入了焦虑和不快。

因此，人们能很快适应生活中出现的一些改变。而另一些研究对象，即那些在事故中瘫痪的人，他们又是什么情况呢？事故发生一年后，据报道，受害者的平均满意度为3分（总分是5分），比总的平均水平 4 分要低，但是远远高于绝望者的满意程度。

这些结果变得广为人知，因为它和大多数人想象的不一样：幸福感的变化其实没有那么严重，而且比我们想象的要消失得更快。电影《超人》的主演克里斯托弗·里夫的故事就是经历过悲剧的人的典型心路历程——像我们研究中的那些遭遇意外的人的情感历程一样。

1995 年春天，克里斯托弗·里夫因在比赛中不慎坠马而四肢瘫痪。克里斯托弗本是有“超人”之称的著名演员，但是现在他作为明星的特权一下子消失了，生活就是每天围着轮椅、理疗转，还得要人帮他用海绵擦身体。正如他在自传中所说，他觉得生活全完了，还想过：“为什么不死呢？也省得给大家添麻烦。”

但仅在几年后，克里斯托弗就又回到了公共舞台上，开始积极资助脊髓研究。1996 年，他在奥斯卡颁奖典礼上做了发言。1998 年，在电影《后窗》的重新制作中，他和达丽尔·汉纳一起担任主演。虽然他已离不开轮椅，脖子以下的部位都无法控制，但是他的“乐观主义毫发未损”，而且他还信心百倍地宣称：“当我放眼未来时，我看到了更多的可能性，而不是局限性。”①

克里斯托弗的故事和许多从灾难中重新站起来的人们的故事是相似的。意外过后，总会有一段阴霾，但是希望也会重现。这种情感的次第出现非常普遍，与其说是例外，不如说是规律。然而，人们总是不相信自己会从消极的情绪中恢复过来。事实上，克里斯托弗回忆起当初人们告诉他可以从情感上恢复过来时，他只简单地回了句：“我不信。”

所以如果你想预测一个人今天有多么幸福，不要问其职业、收入、

① 2004 年 10 月 10 日，克里斯托弗·里夫因心脏病突发在纽约逝世，享年 52 岁。——译者注

爱情生活，甚或他们能不能走路。令人惊讶的是，最有用的数据是简单描述一下他在 20 岁（甚至是 6 岁）的时候有多么幸福。

情绪在本质上是性格的产物，有些人生来就是乐天派。看起来有用的一些信息（如年龄、性别、种族和财产状况）所提供的预测性进展几乎都无法逾越这一简单的区分，即有些人是快乐的，而有些人是不快乐的。

了解这些情况后，再想一想，如果有一笔免税的百万美元财产从天而降，你感觉会怎样？当你在某个热带海滩上晒着太阳、点着成摞钞票的时候，这种狂喜会不会完全消失呢？事实上，一年之后你恐怕就没现在这么高兴了。这看起来似乎不太可能，但其实，我们的幸福感虽然会受到某些短暂事件的影响，却不会受制于它们。

生活的变化带来的强大而短暂的影响或微小但长期的影响，这二者之间的对比形成了人之为人的主要矛盾之一。为了解开这一谜团，我们必须了解一点，那就是为什么我们的基因总能从造就这样的人类中获益——这些人在追求幸福的道路上遭遇艰难险阻，却仍然乐观地相信幸福就近在咫尺。

{ 生活的变化带来的强大而短暂的影响或微小但长期的影响，这二者之间的对比形成了人之为人的主要矛盾之一。 }

## 幸福是基因的一个工具

赛狗的主人知道怎样利用一个假兔子来制造激动人心的比赛气氛。赛狗们以为它们很快就可以饱餐一顿兔肉了，但是它们永远都抓不到那个猎物。为了娱乐观众，跑道还得设计成让兔子处在刚好离赛狗的起跑点不远的地方。

幸福是基因的一个工具，被用来引诱我们做出能使其受益的行为。兔子奔跑是为了促进跑道主人的利益，而不是为了狗。同样，我们向难以捕获的目标奋进也不是为了自己的幸福，而是为了促进基因的利益。

尽管我们永远都难以到达幸福的彼岸，但我们还是天生就觉得，如果再往前走一小步，永久的幸福就在眼前。这种幸福可能是我们通过工作或抽奖而获得的幸运的机会。一旦当前的危机过去，我们就可能认为一切都会更好，我们的问题也会无影无踪。由于梦想总是离我们有一步之遥，我们总是会通过不知疲倦的工作来改善处境。

这种无情的系统产生的一个后果就是我们很快就能适应自己的好运气。例如，“猫王”艾尔维斯·普莱斯利在 1976 年赚了几百万美元，但由于他花的比赚的还多，不幸债务缠身。那一年他挥金如土，有一次光吃一顿花生酱和香蕉三明治就花了 3.5 万美元（为了吃这顿饭，艾尔维斯乘坐自己的私人飞机“莉萨·玛丽”和一些朋友从孟菲斯到丹佛走了个来回）。

像艾尔维斯这种会在日子好过的时候大幅度增加开支的人并不在少数。虽然我们希望能在开支允许的范围内舒舒服服地过日子，但本能却促使我们改变行为方式，总是让我们生活得捉襟见肘。其他许多动物也都有这个毛病。以负鼠为例，儿女众多的负鼠大部分时间都在四处奔忙着喂养儿女，保护它们。

为什么这些长毛的父母不节制生育，少生一些孩子，以享受更多的闲暇呢？这是因为自然界的选择法则是一个无情的工头，它喜欢动物家庭的规模庞大一些，即便这些动物会因为照料庞大的家庭变得憔悴不堪。

有一项研究是用来观察突如其来的财富对负鼠的家庭规模产生怎样的影响的。研究者随机选取了一些动物作为“中奖者”之类的家伙，给这些幸运儿大量好吃的东西。有了这些意外之财，负鼠们本可以在维持现有家庭规模的基础上获得更多的闲暇时间。但是结果怎样？就像艾尔维斯一样，养尊处优的负鼠们很快就适应了：它们把过剩的资源“投入”到生更多的孩子上，所以它们不久就和以往一样忙碌不停了。

然而令人悲哀的是，我们的幸福车道既没有时速限制，也没有出口。

我们的欲望总得有所限制吧。作为社会或个人，当我们变得越来越富有时，难道不会达到某种福乐之境吗？如果每个人都付清了抵押的款项，拥有了梦寐以求的汽车，为家人提供了优质的医疗保健，我们贪婪的冲动还不能得到满足吗？然而令人悲哀的是，我们的幸福车道既没有时速限制，也没有出口。

想想吉姆·克拉克吧，他创建了视算科技（Silicon Graphics）、网景（Netscape）和另外几家公司，是世界上较富有的人之一，但他的目标一直在变化。在下海之前，他是斯坦福大学的教授，工资不高，却梦想着一夜暴富。

他对朋友说，如果能赚上 1 亿美元，他就永远知足了。当他超出这个很高的目标之后，他又把目标定在了 10 亿美元。后来，虽然他口袋里揣着数十亿美元的财富，他还是和以前一样勤奋地工作，当时的他希望能从比尔·盖茨那里夺走世界首富的称号。再后来，克拉克建立了3家不同的公司，每一家公司的价值都超过10亿美元，但他还是很辛苦。

中奖者、事故中的受害者、吉姆·克拉克，还有艾尔维斯，他们都在追求难以达到的目标，回避着短暂的恐惧心理。我们也都如此。我们天生就是这样的：无论是实现目标，还是因遭受挫折而失败，在获得满足感的游戏中，我们永远不是胜者。造成我们在桂冠上休息，或是为打翻的牛奶而哭泣的，可能都是基因。基因并不在乎我们过去取得了什么成就，而只关心一点，就是不停地把情感的小兔子刚好放在我们前头，好让我们气喘吁吁地不停工作，以实现它们的目标。

## “画大饼”的科学性

想象一下，你正在为一个苛刻的老板做销售工作。老板定的目标很有挑战性，但是也提供了丰厚的报酬。比如，如果这个月你卖出去1 000套百科全书的话，公司就答应给你一个奢侈的假期。为了品尝一下那种美好生活的滋味，你就一心一意地朝着那个目标前进了。第二个星期，你说服一所大学为每个学生都购买一套百科全书，你就这样达到了指标。美好的城市，我们来啦！

但当你穿着夏威夷衬衫，拿着高尔夫球棒，冲进老板的办公室的时候，老板却说：“哇，太好了！但是没有什么休假了，明天我们要朝1 100套的目标前进。如果你能完成这个更高的指标，我们就送你一套豪华公寓。”

这样的激励机制不但不合法，而且也不会促进销售。上当受骗潜伏在我们希望当中的是想让我们不停地努力工作的基因。我们跑得最起劲的时候，也是它们最兴奋的时候。

后，只有傻瓜才会为新的指标卖命。对出尔反尔的人，我们很精明。但不幸的是，涉及我们自己内部的许诺时，我们就不这么聪明了。

在《花生》系列漫画中，主人公查理·布朗一次次地受到露西的愚弄。她把一个足球放在地上，鼓励查理使出浑身的劲儿踢球。他提醒露西说，前几次她都把球移到一边去，骗了他。露西说这一次保准不会骗他。于是查理飞快地跑起来，铆足了劲一脚踢下去。可是露西在最后一刻又把球弄到一边去了，害得查理再次重重地踢在了地上。

在现实生活中，查理很快就能明白这种欺骗性，就像我们的百科全书销售员意识到的那样。但事实是，这种游戏都被我们自己一次又一次地玩了下去，这提醒我们，人性中深藏着某种东西。在追求幸福的过程中，我们就像查理·布朗那样，一次次朝移动的目标奔跑。我们经常这样想："要是我能度过这个星期，一切就都会好起来"或"一旦我还清了信用卡上的欠账，我就再也不会这样了"。

潜伏在我们希望当中的是想让我们不停地努力工作的基因。我们跑得最起劲的时候，也是它们最兴奋的时候。一旦我们接近它们所许诺的福乐之境，情感的小球就又跑到前面去了。这样，我们时时刻刻被推着去尽全力做事。

这种生物上的动机也解释了为什么我们会从灾难中恢复过来。基因使我们害怕某些情境，并且利用痛苦教我们避免重复有害的行为，以此帮我们避开意外之灾。但是，悲剧发生后，其严厉又会变成同情。不管灾难多么有破坏性，也不管我们的行为有多愚蠢，基因总是会原谅我们。

这样一来，本能系统就成了我们最严厉也最温和的老板。它们不停地驱使我们做更多的事，不管昨天我们取得了什么成绩，只要求我们今天要尽全力。

不幸中的万幸是，痛苦消失得比我们想象得更快，也不会造成更深的伤害。我们过高估计了当不幸发生时我们的痛苦程度。

我们的感情就是这样被设计的，不像它们所表现的那样持久。例如，据报道称，妇女记不清生下一个孩子时的痛苦。这种便利的健忘症具有的进化上的好处是显而易见的。我们所有在家中不是长子或长女的人都应该对此心存感激。出于同样的原因，我们也认不清我们目标变化的本质，“基因老板”让我们忘记了它上一周的承诺。现在既然玩起了这样的一个游戏，我们该怎样因势利导呢？

开始时我们可以试着对目标不再那么严肃。我们买东西的时候就不要期待这些东西会让我们更幸福。购物的时候，我们是花了钱才买到速度更快的计算机或更大的房子的，而且我们的快乐会消退，退得比我们估计的还要快，然而账单还在。我们要知道，在新的计算机不再显得那么快之后的很长一段时间里，我们还得为它付出。

不幸中的万幸是，痛苦消失得比我们想象得更快，也不会造成更深的伤害。我们过高估计了当不幸发生时我们的痛苦程度。每个运动迷都知道失败的痛苦会消退，因而对下一场比赛和下个赛季的盼望还会产生。更严肃的例子是，等待 HIV 化验结果的病人会想象一旦他们被确认感染后，他们会痛不欲生，但结果证明他们没有想象的那样痛苦。

由于恢复得比我们预期的要快，所以我们应该更多地利用这种机会。很多吓人的选择的弊端也是有限的（经常只是让人蒙羞而已）。社交性失败，如约人外出，或者尝试一个新发型，在感情上可能会起决定性作用。同样，由于害怕在职责、威望和薪水方面暂时地走下坡路，我们可能不会转向自己梦寐以求的职业。而当我们知道痛苦会比想象中消失得更快时，我们就可以改变这一想法，变得更加勇敢。

在生活出现巨大转变之后，我们应该避免迅速做出重大决定。监狱里的自杀行为有一半都发生在入狱的第一天。当我们陷入不安，或者欣喜若狂的时候，都很难相信这些强烈的情感会消散。

我们要控制自己的行动，并且采取具体的步骤预防做出冲动的决策。出了车祸以后，我们不应该自杀；赚了百万美元之后，不要马上就花光，等上半年再说。如果我们获得一笔意外之财，应该赶快把它存进储蓄账户，并且在半年之内不要碰它。

我们还可以用这些知识来预测别人的行为。伊丽莎白·泰勒第一次和理查德·伯顿离婚的时候，他有没有感到惊讶？那他们第二次离婚的时候呢？预测一个人未来行为的最好的办法就是观察他的过去。在泰勒的 8 任丈夫中，伯顿是第 5 任和第 6 任。他应该能预料到他们的婚姻会和前几次一样终结。

人们改变得比他们认为的要慢得多。说到快乐时，最常见的是，快乐的孩子会成长为快乐的青少年，然后会快乐地走向成年。要确保未来我们身边都是快乐的人，现在就要和快乐的人交朋友。

最后，我们应该现在就开始改变。我们生来就感觉明天会和今天不同。除非我们采取改变的步骤，否则我们今天的状况会是未来的一个缩影，且比我们想象的还要清晰。我们应该就像只有今天一天一样活着。

# 永远不嫌多

当额外之财从天而降的时候，我们会狂喜不已，但是金钱并不能给人们带来长期的幸福。这看上去似乎有点不可思议。为什么多出的每一美元都会让我们高兴，而数千美元却没有什么长期的作用呢？这就像在跑步机上一样，我们稳步向前，但是地面在“后退”，所以即便付出了相当多的努力，我们也没能前进一步。

通过问“多少才够”，我们可以窥见此跑步机起源之一斑。如果它来自我们的基因，答案就是“越多越好”。进化是一场竞技性游戏，并不是取得某个固定的分数就算赢，胜过对方才算赢。我们的祖先是孩子最多的人，而不是孩子“足够多”的人。

假设有这么两种人：理性的人和贪婪的人。理性的人在积聚了一些财富以后就心满意足了，剩下的时间就是弹弹竖琴，逗逗孩子。贪婪的人却没有这种满足感，只要收益超过代价，他们就会工作，而且会尽可能地聚敛财富。对他们来说，没有终点线，也没有绝对的目标。他们寻求相对的胜利，他们的欲望也很简单：比任何人得到的都更多。不要和势均力敌的人并驾齐驱，而要把他们“埋葬”掉。

当难以避免的厄运以饥饿、干旱或疾病的形式到来时，什么人更可能生存下来？谁是我们的祖先？我们是谁？只要有过剩的资源来增加生存的机会，具有物质主义动机和行为的人就会占支配地位。我们之所以在跑步机上快乐地奔跑，是因为我们是那些贪婪的人的曾曾曾……曾孙。

当然，有一个问题必须回答：富人真的会生更多孩子吗？盖茨夫妇曾是世界上最富的一对儿，他们只有两个孩子，而在他们所代表的世界里，穷人生的孩子更多。但是，在理解资源和生殖之间的关系时，根据生活在现代工业化国家的人们来看“当前”二者之间的关系，这种方法是存在问题的。

就像其他行为一样，贪婪基因的进化依赖于古代的环境，而不是2000年的孟买、柏林或纽约的情况。换言之，更有意义的问题是：在过去的进化时期，“富”人的孩子比“穷”人的孩子更多吗？从历史上看，孩子和财富总是携手同行的吗？

我们没有什么时间机器，不能肯定这一点。不过，我们可以观察一下世界各地那些生活条件和我们祖先类似的人的情况。在许多文化中，财富确实转变成了孩子。例如，对非洲国家冈比亚的一项研究发现，有剩余资源的妇女的孩子更多。这些妇女和许多人一样处于饥饿状态。但多余的食物让她们可以用来喂养孩子，而且她们还有充分的能量来受孕。

对生活在艰难时世的祖先来说，贪婪偿还给基因的是生存和繁殖后代。我们从他们那里继承了这种贪婪，它们在现代的表现就是聚敛金钱和保持对财富的欲望。

观察一下那些和我们祖先相像的、以采集和狩猎为生的现代人，我们就可以为贪婪生物学的根源找到更多的支持。在这些以搜寻食物为生的社会里，人们长期感到饥饿，他们的需要是现实的。能获取更多财富的人，尤其是食物更多的人，生的孩子就更多。所以他们想获得更多财富的欲望具有明显的戏剧性的进化后果。

对生活在艰难时世的祖先来说，贪婪偿还给基因的是生存和繁殖后代。我们从他们那里继承了这种贪婪，它们在现代的表现就是聚敛金钱和保持对财富的欲望。所以即使在工业化世界中，财富可能不会和孩子的多少有关，但我们的本能却来自这样一个时代：当时对物质财富的关心至关重要。

当然，控制这些欲望是可能的。例如，印度领导人圣雄甘地生活靠的就是那些东西，包括衣服、一块小表、一副眼镜和一根手杖。我们当中很少有人这么坚强，所以我们坐拥很多财富，跑在幸福的跑步机上。

## 进步的感觉会让人幸福

想象一下，假日期间你要到邮局寄包裹。邮局里人很拥挤，你要在两队人中选择一个排队。第一支队伍短，但移动得慢，要排上一个小时。每个顾客都要花很长时间，因为那位职员遇到复杂的细节时就要找上级帮忙。第二支队伍长，但移动得快，也要花上一个小时。你前面的人很快就能办完事，等着的时候，他们处理的步伐也在加快，所以你几乎是小跑着就到了柜台前面了。

你希望排哪一队呢？对大多数人来说，虽然排队的时间都一样，他们还是觉得排第二队更好。更长的一队有两个特征是我们多数人所喜欢的：移动得快，而且速度在加快。有几个研究证实了我们对这种前进行为的重视。

在一项研究中，研究者要求实验对象把手放在冰冷的水中，并为此付给他们钱。一只手要在非常冷的水里放 60 秒。歇一会儿之后，另一只手也要同样这么来一次，额外还要再捱上 30 秒的痛苦。在这额外的 30 秒中，水温会逐渐上升，从真正的冰冷升高到只是很冷的程度。

然后，研究者让实验对象再从两种经历中选择一个以进行第三次实验。你认为他们会选哪一个：60 秒钟的还是 90 秒钟的？他们大多数人还是选择了时间更长的这个。这似乎令人颇感困惑，因为时间更长的选择方案是时间稍短一点的选择方案再加上一点额外的痛苦。然而，这一时间更长的选择方案却有一个积极的趋势。

另一项相关研究观察的是那些做结肠镜检查的人。在这个令人不快的医疗检查中，一个相对较厚、没有弹性的金属壳电子管会被插进直肠来检查内部的情况。对一半的病人，实验是以标准方式结束的，即医生会尽快把电子管抽出来。对于另一半病人，实验之后管子还会留在体内一段时间。管子插在体内不动是很痛苦的，但是比马上拔出来还要好一些。

然后，病人对他们的经历进行评估。那些花费时间更长的人认为实验整体上痛苦少一些，所以医生预计这些病人继续进行后期治疗的比率要高一些。就像在冷水实验中的人们一样，做结肠镜检查的病人更愿意延长不适的时间，为的就是能有一个更好的结束。我们偏爱的是有积极结局的经历。

除了进步，期望对于我们的幸福感也至关重要。有多少次你兴冲冲地去看一场电影，结果却败兴而归？相反，你送给别人礼物的时候，有没有也试着故意贬低它，说那不是什么多好的东西，以此来增加礼物对人的冲击力？谚语“满意＝表现－期望”就抓住了期望在我们情感中发挥的中心作用。幸福和悲哀是源自我们所想和我们所得之间的区别。对于从看电影的经历到危及生命的境况，都是如此。

《伊凡·杰尼索维奇的一天》讲述了一个被遣送到西伯利亚劳动的苏联囚犯的故事。虽然这本书纯属虚构，但这是诺贝尔奖获得者苏联作家亚历山大·索尔仁尼琴根据个人经历写成的。主人公伊凡度过的是真正糟糕的一天。他很饿，只喝了一小碗汤，吃了一点面包。他衣不蔽体，但还得在寒冷的天气里干几个小时的体力活。

睡觉的时候，伊凡“心满意足”，而且总结道，“这是没有乌云的一天，几乎算得上快活”。为什么他没有痛苦，反而高兴呢？他已经在营地里待了一段时间，对恶劣的饮食、艰苦的劳动和寒冷都有了充分的准备。由于他对这些糟糕的环境有充分的心理准备，所以并没有对此感到太痛苦。

幸福与不幸是基因用来促进其目标实现的工具。不管我们的境况如何，基因总是想把我们所有的油水榨干。

伊凡之所以高兴，是因为他有几次小小的出乎意料的好运。他成功地偷到了一点额外的食物，把一块钢锯的刀刃偷带回营里，还拿到一些稀缺的烟草。对我们而言，这一天是悲惨的，但对伊凡来说却不同。由于这一切大大超出了他很低的期望，使得他感觉这一天接近完美。

积极的意外让我们高兴，不管它们是多么微不足道。在一项研究中，研究者为一些人提供了点小礼物，并对其效果进行了测算。具体而言，就是有一半使用复印机的人发现了预先放好的1角硬币。复印完之后，研究者让这些人对其“整个生活”的快乐程度进行打分（总分是7分）。你觉得1角钱会给一个人的人生满意度增加几分呢？

如果出乎意料的话，1角钱也会给我们带来很强烈的幸福感。那些发现1角钱的人打了6.5分（几乎打了满分），比没有看到这1角钱的人打的平均分5.6分要高。

幸福与不幸是基因用来促进其目标实现的工具。不管我们的境况如何，基因总是想把我们所有的油水榨干。所以我们对表明进步的小小变化都十分注意，而对意料之中的事情几乎无动于衷。这一有效的系统把我们造就成精力充沛的工人，并由它来控制我们的情绪，我们或许有受挫的时候，但不会止步不前。我们会拍拍身上的灰尘，继续前进。不论什么时候，有所进步，基因都会让我们感到快乐。

## 如何设计幸福？

民间有这样一个故事，有位满腹心事的农夫向一位哲学家请教。他悲叹道："我的房子太小了，我们没有钱买大一点的房子，家里的人挤成了一团。""好的，我明白了。"哲学家说，"我想让你回家后把山羊从畜栏里赶到屋里去，一个星期后再来见我。"

一个星期过后，农夫回来了，这次他显得更加憔悴不堪。他说："我屋里脏得很，比从前还挤。我闺女差点要了我儿子的命，不过幸好让一只小山羊绊倒了。""好，我明白了。"哲学家说，"我想请你回家后把牛也赶到屋里去。"这种"抱怨与不解的反应"循环一共持续了数周，直到这家的牲畜全都被赶到了屋里。

最后，哲学家说："把所有的动物都赶到原来的地方，一个星期后再来见我。"农夫回来后对他说："是呀，我明白了。我们的房子真是很大。有这么大的地方，我们都不知道该怎么办才好了。"

这则寓言强调了关于人类幸福的两个真理。第一，只要朝好的方面改变，就会带来幸福，不管绝对水平是怎样的。农夫的房子和从前一样大，但是现在他感觉大了很多。第二，在物质条件没有任何改变的情况下，我们可以有意识地建构自己的生活，让自己更加幸福。

我们可以先认识大脑产生幸福感的奇特方式，然后让这些知识为我们所用。我们的基因系统有 3 个重要特征。第一，绝对水平对幸福感的影响很小。第二，我们喜欢取得进步。第三，期望起着关键作用。所以，为了快乐起来，我们应该尽量把生活构建得具有一种上升之势。我们要制造一些条件和期望以使意外之事显得积极。

送给朋友和爱人礼物是利用我们本能的幸福系统的绝佳方式。让自己享受一顿额外的美食，或者送自己一个可爱的小玩意儿，这很好玩，但很难让自己感到惊讶。相反，我们可以轻而易举地给朋友制造惊喜，让他们变得更加快乐。

{为了利用对进步的渴望，我们需要把大的工程分成可以消化的几个大块。}

为了达到最好的效果，我们应该更常送他们一些更小的礼物，而且别总是直接在假日、生日的时候送，因为那时候他们猜得到。设想一下，我们本打算花 100 美元给配偶或朋友买一个生日礼物，但如果能把 100 美元分开来，花 80 美元买生日礼物，然后再分别买上两个 10 美元的礼物，出其不意地送给他们，这样就会让他们感到更加开心。就像在金钱方面一样，关键是尽可能多地制造一些积极的意外之喜。

这些经验也可以应用到健身上。许多人开始锻炼了几个月后就退出了。开始的几个星期，由于能取得快速的进展，所以我们很有干劲。但后来，水平比较平稳之后，我们就感到累了。

为了从体育活动中获得更多的快乐，我们应该在开始的快速进步阶段花上尽可能多的时间。如果能创造自己的“赛季”，会很有帮助。就是说，我们先在几个月的时间里从事一种运动，之后再换一种运动形式。当我们在一种活动中的水平稳定之后，可以再玩另一种，享受一下最初阶段水平的长进带来的快感。同样，在日常惯例上花的时间少一些，可以使我们“意犹未尽”。结合这两点，我们几乎总可以处在曲线的急剧上升阶段，这样就可以享受到由最大可能的进步带来的好处。

为了利用对进步的渴望，我们需要把大的工程分成可以消化的几个大块。在写博士论文期间，特里把每日里要做的事都写在一个单子上。然而，虽然他在许多方面取得了令人艳羡的成绩，但他的论文却没什么长进。

但他后来又有进步。特里意识到除了在单子上列上诸如买裤子一类的小事，他还要列上“写博士论文”。在完成了所有除博士论文之外的事情之后，他感觉很好。但是朝最重要的目标前进的步伐却是缓慢的。他在写论文的时候感觉不到什么进展，因为“写博士论文”这项并不能在几小时之后就从单子上被抹去。看着一壁橱的新裤子，特里受到了启发。他要把大的工程分为一些易于管理的小工程，这样就可以充分利用他对进步的本能爱好。

海明威在人性的学习方面是一个聪明的学生，他能够操纵目标以促进自己做出良好的表现。像许多作家一样，海明威发现写作中最难的是每天开始动笔的时候。他因此形成了一个惯例：每天把最后一章写到快完而没有完的程度。第二天早晨，为了获得那种我们都可以从进步中获得的情感上的小小奖励，他会积极地坐下来，完成未完的一章。一旦沉浸于工作当中，感觉不错，他通常会继续写下去。

“期望少，收获多”，这个格言突出了期望所起的关键作用。当我们开始和人交往，或者启动一个项目时，应该设定合宜的期望值。我们要迟到时，“期望少”这一处方也很有用。一个几乎微不足道的例子可以表明这一点。

如果你在赴朋友的约会的路上可能要迟到 10 分钟，在打电话告诉她时，你应该高估你要迟到的时间，说会晚 20 分钟。而 11 分钟后赶到时，你就算早的，而你的朋友会感到惊喜，而非不满。开始就告诉她坏消息可能会让她受到打击，但是我们却可以赢得全局，因为人们是那么喜欢惊喜。我们应该控制这些期望，以便超越它们。

幸福需要持续的努力。幻想一个完美的世界时，我们认为它充满了懒散和放纵。我们想象自己可以在海滩上没完没了地喝着玛格丽塔酒，无限制地疯狂购物，而且还能整天不停地看球赛，只有在吃比萨饼或喝啤酒的时候才偶尔中断一下。但令人感到惊讶的是，研究者发现这类活动并不能使人们感到最大的快乐。

在一个有创造性的项目中，研究者没有让人们想象什么会让他们感到快乐，而是看到底是什么让他们感到快乐。这些人一天会有多次被叫来精确记录他们所做的一切，并且写下相应的幸福感，同时还要回答许多其他的问题。

成功，而不是懒散，让人们感到开心。具体而言，“心流”这个术语常被用来总结那些令人愉快的情景。在能够控制环境、能利用其技能来达到明确而有挑战性的目标的时候，人们会感受到这种心流。为了达到这些目标，我们会暂时忘了自己，甚至会感觉到时间也放慢了步伐。

我们什么时候能达到心流状态呢？在不同的领域，包括性爱和运动，只要我们感到游刃有余，都可以产生这种积极的时刻。其中有个矛盾就是人们在工作的时候比在闲暇时更容易感到心流。但奇怪的是，即使人们在工作的时候感受到了心流，他们还是想如果不工作的话可能会更开心。

因此，虽然我们认为自己应该更喜欢喝大瓶的饮料，但是在娴熟地朝可以达到的目标前进的时候，我们会更加快乐。我们的情感系统就是被设计出来鼓励我们工作的。为了促进其目标的实现，基因使我们生来就偏爱进步和成就。

在电视剧《阴阳魔界》（*Twilight Zone*）中有一个令人难忘的片段：主人公开始是躺在医院的病床上，但醒来时却发现自己是在一个酒店的房间里。不管他想要什么东西，马上就会有侍者出现，满足他的欲望。过了数天之后，这个人厌倦了这种无须努力的存在方式，对侍者说："我有点想到另一个地方去。""什么地方？"侍者问。"我想我已经死了，来到了天堂。但是我厌倦了，也许地狱会好一些。"侍者回答说："这里就是地狱。"

# 第三部分

## 罗曼史与繁殖

第 6 章　性别：女孩对男孩

火星与金星 · 激素 · 同性恋 · 文化

第 7 章　美丽：并非徒有其表

魅力 · 欲望 · 时尚

第 8 章　不忠：欺骗的心

婚姻 · 骗子 · 爱情 · 性欲 · 诺言

为什么性别角色具有很大差异？

同性恋与基因有关吗？

为什么全世界的人都喜欢光洁的肌肤？

男人什么时候最容易出轨？

女人为什么会“红杏出墙”？

# 第 6 章　性别：女孩对男孩

## 所有动物都玩交配游戏

在电影《艾德私人频道》（*EDtv*）中，伍迪·哈勒尔泰对女朋友不忠，结果被人拍照曝光了。有人问他为什么不拒绝同那个女人做爱，他回答说："我是男人，我不会停下来。那女人的工作就是那个……我们是汽油，她们是刹车。"我们对男人和女人的刻板印象到底来自何处呢？

信不信由你，观察一种不太引人注意的小昆虫——灌木蟋蟀，可以帮助我们对人类的两性形象做更多的了解。虽然没有酒吧也没有约会服务提供给灌木蟋蟀，但它们还是会聚会，互相约着出来。而且就像人类一样，它们会考虑是否应该和新认识的朋友做进一步交往。

一对蟋蟀决定交配，雄性射精后体重大约会减轻1/4，如此之多的精液会被雌性用作能量储备。

不过这儿还有一个小小的区别。一对蟋蟀决定交配，雄性射精后体重大约会减轻 1/4，如此之多的精液会被雌性用作能量储备。对一个普通的男人来说，这相当于 20 多千克的精液！如果男人真要如此耗费，而不是实际上只需"爱意的一匙"的话，他们的行为会有所不同吗？答案是肯定的，而且结果不仅会影响到做爱策略，也会影响其他方面。

对雌性而言，这种大餐是很重要的。它获得的营养——以食物或精液的形式——越多，生的孩子就可能越多。我们人类一生中吃的东西是自身体重的几百倍，而昆虫吃的却少得多。它们终其一生吃的东西可能只有体重的两倍。

因此，雄性一次射精可以为雌性提供一生中所吃食物的 1/10 还多。不用说，这是一笔宝贵的财富，雌性蟋蟀会小心翼翼地不浪费一点，而且它几乎把全部精液都转变成了受精卵。

可以想象，雄性蟋蟀在选择配偶时会比较挑剔（要是射出 20 多千克精液的话，你不也会这样吗）。雄性尤其会拒绝个头小的雌性，因为它们生的孩子不会很多。在短暂的一生中，雄性只能交配几次，所以它会专心寻找最能促进其繁殖目标实现的配偶。而雌性却与此相反，它们寻求的是性。毕竟，它们可以期望来一顿营养丰富的精液大餐。就像我们猜测的那样，是雌性追求雄性。可以想象，如果它们能对话，雌性肯定会做出种种关于忠诚和爱情的许诺。

与挑剔的雄性蟋蟀形成鲜明对比的是，确有数据表明男人是很随便的。男人在“一夜情”上很少有犹豫的。对大学生的一项研究显示，如果有长相一般的女性实验对象提议做爱的话，75% 的男生会同意（许多男生拒绝后会感到后悔）。如果有男性实验对象提出同样问题，会有多少女人同意呢？一个都没有。

## 关于性别的偏见

女人应该在海军陆战队驾驶坦克吗？如果童子军（Cub Scout）的

教师或垒球教练是同性恋的话，会有关系吗？为什么多数政客和赛车选手都是男性？为什么几乎所有的小学教师都是女性？男人和女人是因为社会的限制导致行为迥异，还是有其他原因？

毫无疑问，文化对两性关系是有影响的。美国妇女直到 1920 年才获得选举权。直到 1981 年，罗纳德·里根才任命桑德拉·戴·奥康纳为最高法院的法官。而人们可能会错误地宣称男人（而且只有男人）当法官才是“自然”的。

当然，我们知道法院及其他许多男性圣殿的构成完全是文化影响的结果。直到 1984 年，男人仍然认为女人太脆弱，不能参加奥运会的马拉松比赛。同样，18 世纪和 19 世纪的许多女性行为准则——包括绝不能从事法律和医疗职业，以及在宗教组织中发挥任何领导作用，都应该归咎于父权制的限制，而并非男女之间天生的差别。

由于女性被禁止参加许多活动，要阐明基因对性别的影响会很困难。除了基本的了解，我们是不是可以确定，实际上是存在某些主要由基因造成的两性在身体和行为方面的区别呢？答案绝对是肯定的。

## 我们看起来确实不一样

首先，男性的体重平均比女性重 20%，多出的重量表现为肌肉的形式。结果，男性在多数角力场合都胜过女性。他们的身高也比女性平均高出 12.7 厘米。当然，这并不能证明是基因让男性块头更大的。人的一生中有许多与基因无关的因素能影响他们的身高和体重。

然而，通过观察年纪小一点的孩子，我们就可以更多地剔除环境和教养对我们的影响。例如，让一些 12 岁的男孩和女孩比赛扔球，他们的成绩几乎各不相同，但是女孩的最好成绩也比不上成绩最差的男孩。

当然，到 12 岁的时候，大多数男孩（一部分是出于父母的鼓励）已经进行了好几年有组织的运动了。所以咱们再找一群两三岁的孩子，看他们能扔多远。可想而知，这些小家伙扔不了多远。但是即使在这么小的时候，在社会化的影响不那么大的时候，90% 的男孩都比一般的女孩扔得远。

现在，有了超声设备，我们就可以在子宫里进行这样的研究。对有孕在身的妇女来说，幸运的是科学家没有问胎儿能把球扔多远。但是可以估计，相对于身体的大小来说，男性胎儿的肱骨比女性胎儿的要大，桡骨和尺骨也一样。换言之，早在人们鼓励男孩围着房子射弹子之前，在母亲甚至不知道自己怀的是男孩还是女孩的时候，男孩就比女孩有优势。

除了在体重、身高和肌肉方面的区别，我们对基因生物学还没有完全掌握。然而，在现代和历史上的许多文化中都有一些明显的规律值得讨论。几乎在每个社会中，女性都比男性活得长，平均寿命相差 7 年。难道这只是文化的差别，是妇女生活中的独特性导致的非生物学的结果？很可能不是，因为这一发现非常普遍。

> 被阉割的男人就像无性的宠物，比有睾丸激素的男人活得更长。

例如，南美原住民部落雅诺马马人的生命短暂却充满暴力。他们的平均寿命仅为 20 岁，尽管如此，女孩还是能比男孩多活将近一年。在俄罗斯人中，生活条件恶劣的收割者的平均寿命稍短一些，他们的生命预期是 65 岁。但是在男性中同样有一个相似的倾向，即他们的寿命要比女人短 13 年。

总体而言，世界上 96% 的国家提供的数据都表明，女性的寿命更长一些。有趣的是，在那些少数男性寿命比女性长的地方，其文化大多是歧视女性的。以印度为例，男孩生病时被带到医院看医生的次数比女孩多 50 倍，而女孩营养不良的可能性已经是男孩的 4 倍。所以，至少在印度，男性寿命更长是因为女性营养不良且得不到足够的医疗保健。

到底生物学对影响男女两性的寿命起了什么作用？对男性睾丸激素的研究提供了一点有趣且具有决定性的证据。20 世纪初期，在疗养院工作的男性经常会被阉割。除掉男人的睾丸可以使其睾丸激素降至零点。

在这个用生命质量换取数量的也许是最令人厌恶的例子中，被阉割的男人就像无性的宠物，比有睾丸激素的男人活得更长。长多少呢？大约可以多活 15 年！对所有动物来说都是如此。例如，一个延长公猫寿命的不二法门就是把它分泌睾丸激素的家伙除掉。我们可以下结论说，就像男人生来就更高更重一样，女人天生能活得更长。

在寻求其他人类共性的时候，我们遇到了一个明显而吓人的事实，那就是在世界各地，绝大多数罪行都是男性犯下的。如在美国，当前有大约 200 万人在监狱服刑，其中 93% 是男性。

随着枪支这个犯罪过程中最主要的凶器的发明和扩散，身体的局限再也不能限制女人犯罪了。但是，女性犯罪或女性对枪支的使用并没有急剧增长。例如，在抢劫案件中，50% 的男性使用了枪支，而女性只有 30%。

也有证据显示，男女两性的大脑的运行有所不同。中风后，女性的语言能力比男性恢复得更快。现在，大脑影像技术已经开始解释这种语言能力。现实生活中，女性的大脑比男性的大脑活动得更加平衡。

行为测验也早就记载了男女两性在应用和解释语言方面存在的差异。例如，女性可以更快地叫出事物的名字，而且女性在拼单词时也拼得更快。如果问到两个胡诌的单词是否押韵（如“gooz”和“rews”）时，女性的表现也胜过男性。

在另一项研究中，科学家要求男人和女人回忆生命中最令他们感到悲哀的事情。这时候，科学家开始利用大脑扫描器来检测哪个部分亮了起来——这是脑力活动增多的反应。结果，两性的边缘系统——大脑中与表达和情感相关的部分——都在闪闪发光。不过，女性大脑中活动的部分比男性的多 8 倍。

基因造就了男女两性不同的身体，我们的大脑也有些微的不同。这是否说明基因造就了不同的大脑呢？不一定。以语言为例，可能是大脑的差异使得男性和女性在语言处理方面有差异，但也可能是由于人们鼓励女孩进行口头表达，所以大脑的差异因使用语言的不同而得以发展。然而，在每个例子当中，差异都是真实而有趣的。

总而言之，身体的差异和不同文化中某些行为所具有的强烈规律性都表明了基因作用时的生物学基础。然而，由于妇女长期普遍遭受压迫，所以还有一些问题需要被解答。例如，就像在工资方面想和男性接近一样，从性别歧视中解放出来之后，女性犯罪的比例会向男性看齐吗？

咱们还是回到动物朋友那儿，通过观察它们的行为——没有电视和其他文化因素影响它们的世界，来看看是否可以为我们理解自己的生活提供一些帮助。

## 动物中的性别角色

雌性撒哈拉沙鼠生活得相当舒服。它们定居在靠近丰富的食物资源的沙漠里，不常迁徙。一旦发现了不错的地点，它们就在那儿盖房子，房子有许多出口，可以躲避捕食者的袭击。

雄性沙鼠的生活就不这么富有诗意了。它们整日在危险的沙漠里奔忙，想找到尽可能多的雌性沙鼠。到了雌性沙鼠的家里，雄性会毫无幽默感地询问对方有没有兴趣做爱。如果答案是肯定的，它们就会迅速来上一次。否则，雄性就会不满地离开。不论是哪种情况，雄性都会在几分钟之内回头上路。

做一个雄性沙鼠是很难的。雌性可以在上等的安全场所定居下来，专心积累食物。而雄性则一直在路上，它们吃得很少，而且经常可能会被吃掉。因此，雄性的生命预期比雌性的短得多。如果有同样数量的雄雌沙鼠出生，你在沙漠中会发现雌性沙鼠的数量至少是雄性的两倍。

为什么雄性会过着如此高风险的生活呢？那是因为如果不和人打招呼的话，你是卖不出去东西的。设想一下，要是一个雄性沙鼠要放弃这种危险的交配游戏，将会发生什么事？它可能会活到老年，但不会留下任何后代。那些在炎热的沙漠里进行危险跋涉的父亲会留下后代来继承它们的基因，这对他们来说太值得了。

而雌性沙鼠的生活也不是完全无忧无虑的。生了孩子之后，它们从雄性那儿得不到任何帮助。实际上，这是理解雄性行为的另一个视角。由于雌性承担起了抚养孩子的全部工作，雄性又碰巧遇到一个心甘情愿的雌性并与之交配，因此雄性不费吹灰之力就可以获得基因上的大奖。正是这种好处促使雄性开始危险的旅程。

雄性冒险，雌性照顾孩子，这是整个动物王国共同的主题。以黄条背蟾蜍为例，雄性通过大声叫唤来吸引雌性。雌性喜欢大个子，因为个头大小决定精液多少，所以雌性会穿越黑暗的沼泽地直到最终找到叫声最大的雄性蟾蜍。吸引它们的叫声在一千米之外就可以听得到，而且经常比汽车发动机的声音的法定最高界限还要高。

雄性冒险，雌性照顾孩子，这是整个动物王国共同的主题。

雄性这么叫到底得到了什么呢？当然是性。安静的雄性蟾蜍会被雌性完全忽略。但是发出叫声的蟾蜍也要冒很大的风险，因为有猫会循声而来把它们吃掉。渴望性的雄性蟾蜍必须冒险。

所以我们在沙鼠、蟾蜍和数千种其他动物中间发现了一个共同的主题：雌性承担了养育后代的大多数工作，而雄性只不过提供了一些精子。相应地，雌性握有卧室的钥匙，而经过进化，雄性要为得到殊荣进行竞争。由于基因大奖在望，雄性会拼命冒险以赢得胜利。

## 动物世界的“妈咪先生”

迄今为止，我们看到的都是雄性为争夺雌性而竞争的情况，但这并不是唯一的游戏。例如，在一些叫作瓣蹼鹬（phalarope）的小鸟中间，性别角色完全颠倒过来了。雌性的体型比雄性的要大出25%，雌性要维持它们的地盘，让一个或更多的雄性住在那儿。雌性不但主动追求雄性，而且如果有助于它们得到一个雄性的话，它们还可能残忍地把另一只雌性的孩子杀死。

是什么导致了这种行为的发生呢？在这类生物中，是由雄性照顾孩子的。雄性一次最多可以孵化 4 个鸟蛋，而雌性只是产卵工厂，他们在 40 天内产的卵就有自身重量的 4 倍之多。雌性找到一个雄性并与之交配产卵后，又会上路去寻找其他的雄性。

虽然性别角色被颠倒了，但所传递的信息是一样的：一种性别承担起绝大部分做父母的责任，而另一种性别则在这方面“搭便车”。相应地，那些“搭便车”的、不会投资太多的性别之间会为了基因奖励而互相竞争。

{一种性别承担起绝大部分做父母的责任，而另一种性别则在这方面“搭便车”。}

动物世界的“妈咪先生”都体现出了这种行为。在一个“性别与求爱者”的个案中，我们研究的是苏格兰雷鸟。雌性雷鸟的个头大、攻击性强、令人讨厌，雄性雷鸟则言语温顺、缺乏自信。个头大得多的雌性会为了某些雄性而大打出手，因为它们可以为自己孵卵。

此外，雌性雷鸟对雄性的体态美还特别挑剔。理想的父亲应该在体内有大量的能量储备，而且其体格要小，以适合孵卵。换言之，它得是矮胖短粗、最适合坐在卵上的一个孵卵机器。雌性会想方设法得到这样的雄性，而且会为争夺它们卷入恶性的战斗。

让我们继续观察动物交配行为，回过头来看看奇特而令人恐惧的海象。在繁殖季节，这些动物会出现在加利福尼亚北部海滩外的岛屿上，雌性大批聚集在少数几个最好的海滩上，块头最大的雄性在争夺雌性的竞争中会取得胜利。一项对 115 头雄性海象的研究发现，其中

5 头最大的海象生育的后代占总数的 85%。

一头雄性海象的生命是短暂的，且充满了暴力。为了赢得基因回报，它们天生就适合打架：比战斗中的公牛还要凶猛，而且块头是雌性的 3 倍。在 3 个月的交配季节中，这些强大的雄性守卫着自己的那片海滩，几乎没有时间吃东西。即使是打败所有对手的雄性海象，也经常因为缺乏食物和不停地角斗而在盛极一时之后永远消失，而大部分海象至死也没能进行交配。

个头的大小是理解其行为的重要线索。雌雄海象在块头上差别很大，但是多数鸟类中雌雄两性的个头都一样。除非鸟儿处在怀孕的时候，否则甚至专业的鸟类研究者也分辨不清这些鸟类的雌雄。为什么会有这样的差别呢?

预测个头差异的一个经验性方法是看竞争的激烈程度。如果一种性别玩的是“胜者通吃”的比赛，那么为了取胜，这种性别的成员个头就会长得比较大。因此，理解特定动物竞争本质的一个视角就是看它们生了多少孩子。

一头雄性海象可能有 100 个以上的孩子，而雌性只有 8 个。而相比之下，雌雄两性的三趾鸥几乎有相同数量的后代。据记载，雌性三趾鸥可以活 28 年，雄性是 26 年。

通常情况下，竞争的激烈程度取决于幼鸟的无助程度。许多鸟类需要父母双方共同抚养，所以雌雄两性可能会在一起待上一个季度或更长的时间。如果一个雄性只和一个雌性配对的话，那么在交配过程中恐怕就不会有那么多竞争了。

反过来，单单瞧一眼雌雄两性的图片，我们就能对这种动物如何抚养后代的情况猜个八九不离十——看看二者的身体比例就知道了。

如果二者差别很大，就像苏格兰雷鸟和海象的雌雄差异一样，你就可以肯定个头小的那一方会承担起大部分抚育孩子的任务。

到此为止，我们集中讨论的都是热情似火的性别问题，但是也存在更为细微的差别。雄性雷鸟不欢迎任何雌性，之所以这样是因为它们不需要，而且雄性雷鸟要抚养后代。另外，它们会想尽可能找到最好的配偶，以使自己的后代拥有最好的基因。

## 通过观察动物来认识自己

对于动物两性生活的认识可以帮助我们了解人类的生活吗？我们在许多方面都不过是普通的哺乳动物。女人也有怀孕的身体负担，直到如今，还要给孩子喂几年的奶。

> 一大汤匙的人类精液所含的精子足以使整个北美的每一个妇女受孕。

一个女人在怀孕中投入的总热量估计能达到 8 万千卡，相当于 300 多个麦当劳汉堡包的热量。或许更好的是，我们可以把它想象成跑 1 200 多千米所消耗的能量。（为了“一夜情”，你真的愿意从纽约跑到佛罗里达吗？）相反，男人投入的时间可能还不如超级碗的一个广告来得长，或者说投入量是还不到 5 毫升的流体。

1975 年的电影《男孩和他的狗》（*A Boy and His Dog*）更加清楚地阐明了男女两性之间的巨大差别。故事讲述的是 2024 年一场核战争把地球变成了荒漠。幸存者之一的年轻人唐·约翰逊在其好朋友——一只狗的帮助下勉强生存了下来。影片的一个关键情节是，他被一群生活在地下的幸存者绑架了。

在这个大约 10 万人的社会中，成年的近亲结合已经使得他们的“种子都贫瘠”了。绑架者认为，抓住我们年轻的明星就可以通过他让女人们怀孕，从此恢复他们贫乏的基因库存。唐本来想象他的未来甚至比主演《迈阿密风云》（*Miami Vice*）还要光明，可是他很快就发现了一件很恐怖的事：自己被性生产机器束缚住了。他的经历提醒我们：一大汤匙的人类精液所含的精子足以使整个北美的每一个妇女受孕。

导演不可能再拍一部叫作《女孩和她的狗》（*A Girl and Her Dog*）的电影，因为女人每年顶多怀一次孕。据记载，生孩子最多的是费奥多·瓦希莱夫（Feodor Vassilev）夫人，共有 69 个孩子（怀孕 27 次而得）。穆雷·伊斯梅尔（Moulay Ismail）皇帝的妻妾共生了 888 个孩子。这些女人的名字没有被任何历史文献记载，似乎恰当地说明了世人对女人普遍存在的歧视。费奥多·瓦希莱夫夫人注定仅仅是作为费奥多的妻子而被人记住的。

从动物那里得到的证据让我们倾向于认为男性的块头会比女性更大，男性会参加一些冒险的竞赛以吸引女性，而女性死于这些冒险行为的可能性要低于男性。

这种预测是否准确呢？就像我们在前面提到的，男人的块头比女人大 20%，但是比女人死得要早。在美国高速公路上的每一千米，男人都比女人更可能死于车祸。而男女两性在十几岁的时候区别最大，此时男性的死亡率是女性的 2.5 倍以上。

其他动物的冒险模式与此类似。以猕猴为例，它们在群体内争夺地位时的死亡率更高。但这种冒险是值得的，因为地位高的雄性在亲近雌性方面拥有特权。其他动物的冒险行为则有季节性的变化，比如，在交配季节，恒河猴因打斗受伤的比率上升了 6 倍以上。

我们还可以在人类行为中找到其他关于男女有别的证据。例如，雌雄配子的市场价格就有巨大的差异。精子“捐赠人”的要价是每一次射精大约为 100 美元。而人类卵细胞的售价则在 5 000 美元～80 000 美元，甚至还要多。

除了对待“一夜情”的态度不同，在商业性交易中也存在另外一些规律。除了齐本德尔男人[①]，跳脱衣舞的都是女人。色情产品的主要消费者也是男性，一项由《花花女郎》(*Playgirl*) 杂志进行的调查还发现，看裸体男人插页的恰恰是男性。虽然存在美国舞男之谜，但是男女卖淫者都有一个共同的特征：他们的顾客主要是男性。

## 同性恋基因真的存在吗？

进化生物学如何对待一种看起来与繁殖相悖的行为呢？自然选择看上去确实把鼓励繁殖后代放在了首要位置，而同性恋对繁殖成功来说好像是一条不太可能选择的途径。对此问题的简单回答是，仍然没有人能够很好地解释人类和其他物种中同性恋的盛行。但是，还有一些有趣的线索有助于我们解释这个问题。

首先，我们知道，同性恋具有深刻的基因上的根源。科学家经常试图通过观察双胞胎来解开基因作用之谜。同卵双生子的基因序列一模一样，而异卵双生子的基因序列只有一半相同。他们的一些特征（如眼睛的颜色）是由基因决定的，同卵双生子在这些方面经常表现出一致性。而其他一些特征（如身高）虽然受到基因的影响，但是并

① 齐本德尔男人 (Chippendale men)，驰名欧洲的男子脱衣舞表演队。——编者注

不完全由基因决定。因此，同卵双生子在身高方面比异卵双生子更加接近。

有一项研究观察了55对男性同卵双生子和55对男性异卵双生子的性取向问题。在每一对双胞胎中，至少有一个是同性恋者。为了解他们的性取向，研究者对这些人的兄弟进行问卷调查。在同卵双生子中，52%的兄弟两者都是同性恋。而在异卵双生子中，这种情况只占22%。

其次，人类的同性恋取向受到童年时代的影响较小。有位研究者对一些家庭进行了观察，这些家庭的儿子都有“女孩子气”(girlish)的现象。1/4的父母非常着急，于是就向心理学家求助，而这些心理学家都受到过劝阻同性恋取向的专门培训。他们的帮助对孩子们有用吗?一点用也没有。成年后，这当中的3/4的孩子成了同性恋或双性恋，事实上其比例比那些未经帮助的男孩只高出一点点。

“童年环境的影响相对而言无足轻重”这一论点还可以从新几内亚的一些社会群体中得到进一步的证实。在一个叫作“精液地带”(semen belt)的地区还有这样一个传统，即要求所有的青年男子进行同性恋的行为，这些青年男子还被教导说，消耗精子是男孩长大成人所必需的。

对巴布亚新几内亚的萨比亚人(Sambia)的研究是所有此类社会研究中最充分的一个，其社会文化居于最好战之列。经历过青少年时代独特的同性恋行为之后，多数成年男子都娶了妻子，并且成为专一的异性恋者。实际上，虽然在童年时代接受过那样的教导，但萨比亚男子成年后的同性恋行为的普遍程度比美国的要低。

最后，如果我们放眼人类以外的生物，还可以发现在许多动物中也存在同性刺激行为。我们在基因上的近亲、与黑猩猩长得很像的倭黑猩猩，对所有种类的性行为都特别热衷。

雌性们也经常会在一起进行一种叫作“g-g 摩擦”的活动，就是说，它们面对面把阴蒂靠在一起，每秒钟运动 2.2 下，同与雄性在性交中的频率相同。有时候，气喘吁吁、欣喜若狂的雌性倭黑猩猩甚至会从树上掉下来摔昏在地，因为它如此沉迷于那短暂的欢乐时光，以至于忘了要抓住什么东西来保持身体的平衡。

除了同性行为，人类、猿类和其他一些大脑比较发达的动物都有把性和生殖区分开的行为。例如，进入青春期的倭黑猩猩，不管雄性还是雌性，都经常和年轻的雄性进行口交，而成年雄性对青春期的雄性进行手淫也很普遍。在人类当中，许多异性恋夫妇的性行为也不会导致生育，如在女性生殖周期的大部分期间和在怀孕期间进行的性行为，以及口交、肛交和手淫，都不能生儿育女。

所以，人类许多其他的行为都和同性之间的接触一样，具有非生殖性的本质。然而，比较独特的一点是，许多人会终其一生都保持专门的同性恋取向。而与此形成对照的是，许多动物只在特定情景下有同性性接触。

因此，在狒狒当中，块头最大的成年雄性妻妾成群。身材稍小一些的雄性则亲近不了雌性，所以它们就经常在雄性圈子里进行同性刺激活动。不过一旦能得到雌性，它们就会专一地进行异性性行为。

许多人会终其一生都保持专门的同性恋取向。而与此形成对照的是，许多动物只在特定情景下有同性性接触。

与那些能够自然改变性别的物种相比，甚至连这些能

"左右开弓"的狒狒的生活都显得很枯燥。例如，蓝头濑鱼是生活在珊瑚礁里的一种鱼。所有的濑鱼生下来都是雌性，在成长过程中它们不断地排出卵子。每一块珊瑚礁里都有一条特别大的雄性濑鱼占着地盘，它在一天之内可以使 40 批卵子受精。雄性死后，最大的雌性会自然改变性别并开始产生精子。

濑鱼将性别的概念推向了逻辑的终结。纵观动物王国，我们可以发现，一种性别总是会在生育后代中投入更多精力和能量，而另一种性别则为得到这些挑剔却忠诚的父亲或母亲而互相竞争。投入的差异越大，两性之间在身体和行为上的差别就越显著。

除了为什么会存在性别差异，还有一个实际的问题，即这些差异实际上是怎样产生的。构成某种行为（比如挑选配偶或占领地盘）的基础——基因，可以在雄性或雌性的体内发现。根据种类的不同，基因通常以极端不同的形式表现出来。让我们看看它们是怎样做到这一点的。

## 激素与两性的特定行为

据说青年男子的身上会发生"睾丸激素中毒"的现象。这个说法是恰当的：已有证据表明睾丸激素是致癌物质。如前所述，没有睾丸的男性比有睾丸的男性要活得更长。虽然所有的人都能分泌睾丸激素，但男性的水平大约是女性的 10 倍，这是产生男性某些行为的主要诱因之一。

> 如果女性服用睾丸激素补充物，她们的自信心会增强，性渴望和性满足会增加，而且整体而言会更加快乐。

通过观察服用睾丸激素来

健身的人，以及将其用于其他体育目的的人，我们可以了解很多东西，因为睾丸激素及其数种化学变体得到了广泛的应用。咱们来看一看男性由类固醇引发的一些行为。

加里开着他新买的“巡洋舰”汽车以每小时 56 千米的速度向一棵树撞去，他的朋友全程录下了这一过程；在 3 次不同的情况下，史蒂文都不依不饶地追上那些在交通中挡了他的路的司机，用铁轮箍打碎了他们的窗户，给了他们点儿教训；克里斯盛怒之下用头撞坏了木门；唐尼使劲拿他的狗来出气，差点儿把它打死。

为了保护这些糊涂蛋，以上用的都是假名。但是，除了说明真实情况，这些由类固醇引发的“光辉时刻”还说明了睾丸激素是造成男性狂暴的原因之一。其实，这些人都没有使用暴力的历史。

而女人也受到睾丸激素强大的影响。一般而言，拥有的睾丸激素自然水平更高一些的女性的毛发更多，而且有更多的性伴侣。在女性犯人中，睾丸激素水平高的人更有暴力倾向。据报道，如果女性服用睾丸激素补充物，她们的自信心会增强，性渴望和性满足程度会增加，而且整体而言会更加快乐。睾丸激素能害死我们，也能引发暴力。但是除了这些不太重要的情况，它还是一种神奇的药物，可以使我们更加强大、自信和快乐。

雌性鬣狗的睾丸激素水平非常高。其结果是它们的个头比雄性更大，而且在社会中占统治地位。它们有一个假的阴茎，看起来和真的一样，除非你也是鬣狗，否则是分不出真假的。但是抚养孩子的时候，雌性鬣狗比雄性要强。

睾丸激素可能是对动物行为影响最大的激素，但并不是唯一的。雌性激素也是一种强大的力量，可以引发由基因造成的典型行为。一项老鼠实验有趣地证明了这一点。

首先，一些雄性老鼠出生时就被阉割了。然后，它们到青春期时，又被注射了小剂量的雌性激素。会有什么反应呢？这些昏头昏脑的雄性啮齿动物马上就做出了与雌性在交配时做出的姿势相同的动作。在这种叫作脊柱前弯的行为中，雄性的前爪放低，后腿抬高，后背弯曲，尾巴耷在一边。

在另一项研究中，雌性老鼠的卵巢被摘除了，而且被注射了一点睾丸激素。这样这些老鼠就完全被消除了性别角色。果然，这些雌性开始爬上另外一些雌性的身体上方，而做出性交的插入动作。

于是，研究者就从实验中得出其具有逻辑性的结论。把一个被注射了雌性激素的雄性和一个被注射了睾丸激素的雌性放在一块儿，它们就装模作样地成了一对儿，不过看起来还挺满意。它们欲望强烈，急不可待的雄性以脊柱前弯的姿态被一个雌性“上”了。

## 如果有来生，你愿做男性还是女性？

20 世纪 70 年代的一则音昭丽（Enjoli）香水广告中，一个女子唱道：“我会把熏肉带回家，放在平底锅里煎，绝不让你忘记你是男人，因为我是女人。”这个广告反映了当时的性别政治。然而，现在从历史的锁链中解放出来的女性可以从事一些传统上由男性从事的工作了。如果性别的差异完全是由文化造成的，那么男女的同化应该没有什么问题，一些大学甚至有了男女共用的澡堂。

但现在关于这一问题的前景比过去更渺茫。束缚妇女进步的许多传统障碍虽然都已经被消除了，但是一味模仿男性似乎也不太像是女性通往幸福彼岸的途径，这其中的部分原因在于让男人和女人高兴的许多事情都是不一样的。

在先进技术的帮助下，妇女也不必再亲自哺乳不可了。请想象一下这么一个世界：其中，怀孕可以通过技术手段来完成，其实这也不是太遥远的事。即使在那样一个世界里，男女两性也存在不同。我们的基因来自远古时代，大脑和情感结构反映的也是那个时期的情况，不会很快被改变。

女人仍然来自金星，而男人还是来自火星。

生理上的差异使得促进男女平等的事情复杂化了。如果男女完全一样，我们可以期望，甚至要求他们在所有工作和大学的专业里面都有平等的代表权。然而，根据男女趣味的不同，要求出现同样的成果似乎是不明智的。例如，大多数年轻的儿科和妇科医师都是女性，这是否意味着医学专业的男性受到了歧视呢？未必吧。

同样，在大学录取时并不存在明显的偏见，但女性也越来越居于主导地位。女生在高中的成绩更好，而且似乎对获得大学学位更有兴趣。

所以，女人仍然来自金星，而男人还是来自火星。在保证两性平等方面不存在什么简单的对策。然而，通过对人性更深层次的理解，我们有希望获得平等的权利，都能变得更幸福。

一家民意测验机构调查过这样一个问题：“如果有来生，你愿意做男人还是女人？”很多年以前，多数女人都想成为男人，而没有一个男人想在来生变成女人。在 1996 年的测验中，男人仍然想保持自己的性别，但是女人说她们还想生为女儿身。

# 第 7 章　美丽：并非徒有其表

## 基因学眼中的美

什么是美？乍一看，似乎答案取决于你在哪儿问、问的是谁。例如，在南美的雅诺马马人那里，男人用明亮的红色装饰炫耀他们头上的伤疤。还有一些文化中的人们则花费数年的时间用来加厚嘴唇或加长脖子。在许多社会里，女人从来不遮盖胸部，而其他社会的男人则会花费很多时间和金钱诱使女人敞开胸部。

即使在同一种社会文化中，对美的定义也会随着时间的演变而经历巨大变化。19 世纪的美国人认为美就是苍白的皮肤和丰满的身材。同过去正相反，现在的人们则喜欢瘦削的骨感美。由于缺乏任何明显的共同主题，我们只好下结论说，美丽的流行就像时尚和音乐一样，是由杂志编辑、广告商和麦迪逊大街的化妆品公司所控制的。这样说对吗？

错。文化风潮和奇想当然起着重要作用，但是美丽的流行时尚还是扎实地根植于生理学基础。想想美和健康之间明显而实际上可见的联系吧。你愿意亲吻的是皮肤光洁、健康的人，还是看起来就有多种并发症的人？是一个像迈克尔·乔丹那样风度翩翩的运动员，还是一个笨手笨脚的闲汉？“川流不息”的鼻子能吸引你吗？

这些答案似乎不过是常识，但是常识从何而来呢？要爸爸妈妈教你，你才会对敞露的伤口感到恶心吗？健康、身体强壮的人普遍具有吸引力，这并非偶然，好基因更有可能存在于好身体里面。我们祖先选择的是健康、敏捷的配偶，我们也遗传了他们对美的基因上的界定标准。

在这方面我们和其他动物没有什么分别。一些种类的母兔追逐公兔时，会快速奔跑很长时间。只有在成功地跑了一个小型马拉松后，公兔才可以做父亲。同样，许多蛇在做爱前会进行角斗。柔弱的动物可能会继承祖先的生活方式，但它们的祖先不会是跑得慢的兔子或柔弱的蛇。

{ 全世界的人都喜欢光洁的肌肤。 }

其他交配仪式也有健康审查在里头。在乌干达水羚羊中，所有的交配都是在非洲大草原上跳跃着进行的。太笨拙或不健康、不能在跳的同时弓身的雌雄水羚羊都会在这种游戏中落在后面。在许多种猴子中，雄性交配也得像要杂技一样骑在雌性的后腿上保持平衡。那些病弱、疲倦的动物却做不了这些动作。

全世界的人都喜欢光洁的肌肤。就和奔跑的兔子、角力的蛇和跳跃的水羚羊一样，此中也有健康的原因。寄生虫感染、疾病和其他不适都会从皮肤上显现出来。光洁的肤色在人类当中意味着健康，就好像精力和力量对动物意味着健康一样。有研究发现，在寄生虫感染比较普遍的地区，人们对光洁皮肤的重视超过了其他地区的人们。

如果我们对基因的质量感到好奇，就不要仅限于皮肤。好基因还会以其他更微妙的方式表现出来。就像本书作者在本书导言中提到的，其中一种方式就是身体的对称性，人们下意识地觉得这一特征很有吸引力。

如果构建完美的话，我们的身体会完全对称。为什么呢？人类有一个基因蓝图，决定怎样以“手基因”“胸基因”和“眼睛安放基因”的形式构建身体的左右两部分。基因同时为身体的左右两部分工作。如果没有完全对称，可以认为这反映了在发展过程中环境比较恶劣，或者一系列基因没有配合好。

然而，一个人的身材，甚至超级模特，都不是十全十美的。我们每个人在胳膊长短、脚的宽度、乳房大小等所有方面，左右两部分总会有一些不同。一般而言，这些差别很小，几乎觉察不到。例如，有研究发现左右两手的食指有 2%～4% 的差异。玛丽莲·梦露就意识到了她身体的不对称性，她觉得她右侧的身体更美。结果是如今我们很难找到她的正面像。

在自然界中，有机体的对称性和整体的健康与状态之间存在密切的联系。例如，身材对称的良种马比不对称的竞争对手跑得更快；对称的花朵能产生更多花蜜，蜜蜂也更喜欢到这样的花朵上采蜜。

对称几乎也是全球性的春药。一项对 41 个物种的研究发现，在超过 75% 的个案中，对称的动物更有吸引力，也更有性吸引力。而不对称的动物则相对生活得比较吃力，而且这样的生物长得更慢，死得更早，性生活明显更少。既然动物对这种健康标志如此精通，那么人类如果也这样，我们会感到惊奇吗？

当然不会。就像其他动物一样，人类也关心对称性，即使是下意识的。有一项研究让人们从两张照片中选择一张更喜欢的。其中一张是一个人正常的照片；另一张也是同一个人，只是他的左右两边被设计了一下，互为映像，完全

> 在自然界中，有机体的对称性和整体的健康与状态之间存在密切的联系。

一样。评估者声称他们看不出两张照片的区别，但让他们选出更有吸引力的照片时，绝大多数人都选择了那张绝对对称的面庞。

在一些极端情况下，我们仅凭肉眼就可以评价一个人对称与否。但多数情况下，我们对谁对称谁不对称的估计是很不精确的。要想精确地估量，需要借助于科学的测量仪器。

令人吃惊的是，实际上我们在发现对称与否这方面的能力可能更强一些。在一项古怪的实验中，一群男子先被测量了对称性，然后穿上普通的白色T恤衫过了几天。这期间他们不能使用香皂或古龙香水。当T恤开始发臭但还没有破旧的时候，这些人将它们脱下，分别放进没有编号的袋子里。

随后让一群女人打开袋子，把鼻子凑过去，深深吸一口衣服上的气味。之后，研究者询问她们对每件衬衫的喜欢程度。结果如何呢?气味更有吸引力的衬衫的主人的身材更加对称。

我们从来都没有真正（是指有意识地）弄明白这其中的原因，但是这也抵挡不住我们对有对称美的人们的渴望。而且，对称性不仅仅能产生“获奖”的脏衣服，身体对称的男子的性生活也比其他男子开始得早三四年，情人也是其他男子的两倍多。

一项有关选举的研究发现，仅仅通过观看候选人的静止图片和视频片段，不同文化背景的人们就能够以出奇的精确程度预测他们能否当选。比尔·克林顿在对称性上得分很高，以至于电脑把他归为男模特的类型。

一个标题为“信息：比我们想知道的还要多”的研究让我们发出这样的疑问：那些在实验室里让人记录其行为的男男女女是不是走得太远了？几个月中，这86对异性夫妇的性生活被放在放大镜下面观察。夫妻双方都被测量了对称程度，然后他们被记录了做爱过程中的每一个亲密细节。

令人震惊的结果是什么？男子的对称程度越高，其伴侣就越有可能达到性高潮。其他因素都不能预测女人达到高潮的可能性：不是男子的魅力、身高、潜在的身价或性经历，甚至也不是夫妇对其爱情的估量（直到现在，我们还在想到哪儿可以买到用来测量我们潜在伴侣对称性所必需的设备）。

{男子的对称程度越高，其伴侣就越有可能达到性高潮。}

到底为什么女人的性高潮会受到男子对称性的影响呢？答案似乎是，这是女人来选择要谁来为自己宝贵的卵子受精的机会。女人在性交达到高潮时，会有更多精子留在其繁殖带内，结果就使她更易受孕，也就更有可能生一个对称的孩子。

跨文化的研究为有魅力的生物学基础提供了更多证据。在许多实验中，研究者让人们比较来自他们自己及其他文化背景中的人们的照片，然后估算他们的魅力值。例如，当美国和中国的男子对中国女人的照片进行评估的时候，美丽等级是吻合的。

在很多社会文化中，包括印度和英国、南非和美国、俄罗斯和巴西，以及美国白人和黑人之间，都有类似的发现。在对美丽的评价方面，我们意见一致。

是不是因为我们都看同样的电视节目和电影，所以才会对美丽有共同的概念呢？为了寻求答案，人类学家另辟蹊径，寻访了两个与世隔绝、没有接触过媒体的现代采集者群体——Ache 和 Hiwi 人。研究者让他们对照片上的人的魅力值进行评估，结果发现，他们的观点和其他文化背景中的人们的观点一模一样。

最后，即使只有3个月大的婴儿，他们看那些有吸引力的人的照片时花的时间也比花在那些没有什么吸引力的人的照片上的时间长。所以，在对时尚和美丽的评判方面，人们的观点虽然有很大不同，但是我们发现不同观点下面潜伏着很多生理学上的因素，使人们又有着许多共同的意见。美丽，尽在旁观者的眼里，也尽在旁观者的基因里。

## 拥有不同免疫系统标志的人最吸引我们

曾经有这么一条新闻，讲的是一对西班牙恋人就要结婚时竟发现他们是同胞兄妹。对他们的爱情普遍持有的保留态度揭示了我们婚姻关系中普遍的特征之一，即我们的伴侣不能是我们的同胞。很少有比这种话更刺痛、更令人失望的了，那就是“我像爱妹妹一样爱你”，这意味着这个人对你没有罗曼蒂克的感情。魅力的这一特征很有趣，有着明确的生物学根基。

几乎所有的动物都避免近亲配对，因为这会带来不健康的后代。从老鼠到猴子，动物们都不情愿和自己的同胞生育后代。果蝇在没有其他选择的情况下会和兄弟或姐妹配对，但是与和其他果蝇的交配相比，它们则表现出明显的延迟。

> 对于从小一起长大的人，我们有一种本能的、无意识的、罗曼蒂克的反感。

俄国皇室就是一个因近亲结婚而付出代价的著名例子。皇室里充斥着基因失序造成的后果，包括血友病的普遍存在。因乱伦产下的孩子的死亡率是其他孩子的两倍，而侥幸存活的孩子犯病的概率也明显高出很多，如大脑发育迟缓和心脏畸形。

我们是怎样避免近亲相爱的呢？对多数人来讲这似乎很明显：我们就是对兄弟姐妹不感兴趣。而一项对婚姻失序的研究清楚地表明了这种反感是怎样形成的。在亚洲的一些文化中，婚姻是被安排好的，未来的丈夫和妻子会在同一个屋檐下长大。这正是事情出错的时候。

从出生到两岁半似乎是一个关键时期。那时，生活在一起的一对儿女都把对方看成自己的同胞，而不是婚姻中的配偶，这种印象很难磨灭。如果后来结了婚，也很少有好的结果。例如，从小在一起长大的亚洲配偶的离婚率是其他配偶的3倍，而且还存在其他许多问题，如女性不忠的比率增大。

人类对乱伦的回避有着明确的目的和机制，避免和同胞结婚是为了后代的基因健康。对于从小一起长大的人，我们有一种本能的、无意识的、罗曼蒂克的反感。回到我们提到的那对西班牙恋人那儿去，这对兄妹直到长大成人才开始相遇，所以，他们相恋应该不令人奇怪。否则，他们绝不会坠入爱河。

对伴侣不同基因的渴望不仅仅表现为回避与同胞结婚上。几年前的一次晚会上，本书作者的朋友简，一个西欧人，被一位具有中东血统的男子阿里深深吸引。

那是委婉的说法。简形容该男子对她的吸引反映了一种动物的、本能的需要，和她对现任男友的清醒评价完全不是一码事儿，而且阿里住在另一个城市。虽然理性认为他不是最好的配偶，但是动物性的一面还是战胜了理智：简马上就和阿里相恋了，而抛弃了以前那段已经谈婚论嫁了的长期恋爱关系。

简的经历和这样的研究结果是一致的，即有着不同免疫系统标志的人最吸引我们。这种叫作MHC或HLA的生理特征因人而异，而在世界各地的人们中间的分布更有所不同。如果我们和与我们不同的人结婚，就可以把不同的基因结合在一起，从而生育出精力充沛的健康后代。

到此为止，对于配对游戏的讨论已经突出了男人和女人在寻找伴侣上存在的巨大共性。他们都在找寻那些精力旺盛、皮肤光洁、身体对称且不是近亲的伴侣体内的优质基因。而且，人类的一个与众不同的特点就是男女都要抚育子女。既然双方彼此需要，男女在寻找配偶时，寻找的也是可能成为好父母的配偶。

这种共同点是可靠的。但是，就像你一定知道的那样，男女之间的生理差异会使其行为表现出很大的不同。女人一生中能够产生大约400个潜在的受精卵。相反，男人一次射精能产生3亿个精子。由于受精卵很少而精子极多，所以在这样的世界里，男人和女人都有一些不同的配对行为和审美标准。

## 男人想要什么?

看看现在的美国小姐，你就会发现一个关于女性美的例子。想想20年前的优胜者，你可能会发现她是相当不同的一类，可能更瘦一些。再回到风云激荡的20世纪20年代，那时的美国小姐会稍微丰满一些。

实际上，仔细观察一下美国小姐就可以发现她们具有惊人的不同，就是说，每种类型都有，但是每类只有一个。虽然由于时代的不同，优胜者的“尺寸”有大有小，但她们都有沙漏状的体形。尤其是如果测量一下从20世纪20年代—80年代的60多个美国小姐的腰臀比例，人们就可以发现其结果都在0.69～0.72这个微小的范围内打转。

这个0.7的比例值意味着什么呢？你可以想象出拥有这个比例的女人是怎样的吗？一年前可能是腰围66厘米，臀围94厘米；几年后则可能成了腰围56厘米，臀围79厘米。可见，我们对女性美的感觉更取决于体形而不是尺寸。

这种欲望不仅仅会指导我们在选美大赛中的判断。想想：奥黛丽·赫本据称腰臀比例为0.7（三围为80–56–79），玛丽莲·梦露的三围为91–61–86。时装模特也是如此，从骨感的特威格吉（Twiggy）到艾尔·麦克珀森（Elle Macpherson），比例都是0.7。几乎所有社会中的男人都认为比例为0.7的女人最迷人。在对照片甚至女人画像进行评价时，这种偏好都引导着他们的选择。

这只是人们下意识的偏好，但是0.7这个只有基因才会喜欢的数字确实有些不同寻常之处。研究怀孕问题的科学家发现，比例为0.7的女人的生育力最强。

另一个对接受人工受精的妇女的研究发现，比例在0.8以下的女人怀孕的可能性是那些比例在0.8以上的女人的2倍。所以，男人之所以受到独特的沙漏型体形的吸引，是因为这反映了女人生育繁殖能力的强弱。

另外，世界各地的男人都对年轻女子及与年轻有关的特征（如丰满的嘴唇、大眼睛和发亮的头发）表现出一种偏好。年轻本身并没有什么特别令人渴望的，只是生殖力会随着年龄的增长而衰减。其他一些文化偶像也确切地反映了这些渴望的趋势，长发飘飘、青春焕发的芭比娃娃卖出了1 000多万个，是玩偶大军中的畅销冠军。

在一个相关研究中，研究者用计算机对女人的面庞进行处理，然后让人们对经过加工的面庞的魅力值进行评估。奇怪的是，一副由许多图像合成的普通面孔胜过了几乎所有其他的面孔，被认为是最迷人的一个。部分原因是合成图片比其他人的照片更加对称，所以似乎普通面孔也有其美丽之处。

最美丽的女人的图像有一些共同之处。她们更加女性化，就是说她们的下巴更窄，眼睛更大，嘴和下巴之间的距离更短。封面女郎具备所有这些特点，同时还有更丰满的嘴唇和更小的鼻子，所有这些特征都使得其面孔看起来更加年轻。所以时装模特只是夸大了普通女人的一些特征而已。

许多动物也显示出同样的行为偏好。拿鲱鱼鸥（herring gull）来说，在正常情况下，幼鸟啄父母喙上的红色斑点时就可以得到东西吃。研究者制作了一个木棍，上面的红色斑点比多数鸟儿喙上的红斑都大。这时候，小鸟们更喜欢木棍，而不是它们的父母。

另一位研究者制作了他称之为“性炸弹”的假鱼。与正常的雌性相比，这些假鱼的多产特征被放大了，超出了自然的水平。结果，雄性紧紧追逐着这些假的“性炸弹”，而对那些健康的真鱼不理不睬。我们的基因知道自己要找什么，但是如果抓着简单的特征不放，就会上当受骗。

人们通过化妆品和整容手术来加强令人渴望的特征。口红和胶原质注射都可以使嘴唇看起来更大、更年轻。护肤产品试图模仿健康人皮肤光洁（记着，我们的基因认为这是没有寄生虫的标记）的样子。由于这些偏好是天生的，所以人类至少从埃及法老时代起就开始使用化妆品了，而且已使用了 4 万年之久。

杰伊·莱依曾经评论道：“过去的几个星期我看到‘神奇’胸罩

（Wonder Bra）做的广告。难道我们国家真存在这个问题吗？男人甚至都不注意女人的胸部了？”他的看法不错。美国人和其他国家的人一样，对女人的胸部十分着迷，许多有趣的理论对此进行了解释，例如强调电影《海岸救险队》（*Baywatch*）所起到的作用。确实，媒体是起到了一些作用，但是这并不能解释为什么和其他灵长类动物相比，人类的乳房如此硕大。

对人类这个独特之处可能是有说法的，但究竟是什么，我们还不得而知。乳房大并没有什么公认的生殖优势。女人不能凭大乳房产更多奶，也不能因此生出更健康的孩子。然而，我们还是对它们着迷。而且，美国每年都有 10 万妇女做隆胸手术。

女人不能凭大乳房产更多奶，也不能因此生出更健康的孩子。然而，我们还是对它们着迷。

男人对形体美的关注不仅限于女人。许多研究显示，男性同性恋群体对外表和年轻程度都很重视。与异性恋相比，同性恋男人在个人广告中很注意强调自己对形体美的渴望，而且还炫耀自己的美貌。而女同性恋自己做的及别人为她们所做的广告则更常提到友谊和金钱。

吸引力的最后一个特征提醒我们，欲望可以是多么的简单：男人喜欢对他们感兴趣的女人。但是，男人怎样识别这种兴趣呢？看似微小的信号都会使男人发觉。如果一个女人真正对一个男人产生了激情，她的瞳孔就会放大，有时会变得非常大。

在几项研究中，心理学家通过操纵这种通常诚实的信号戏耍了一下男人的情感。在一项心理研究中，被招募来参加实验的女士走到一些男士跟前，请他们参加一个心理研究（他们没有意识到他们已经在参加一个测验了)。这些女士中有一半在接近男士之前已经通过眼药水把瞳孔放大了。另一半人的瞳孔则处于正常状态。

结果怎样?大批男士接受了瞳孔放大的女士的邀请,志愿参加了测验。同样,当照片中女人的瞳孔经过处理而变大时,男人对其美丽程度的评价会急剧上升。

在与性无关的领域,漂亮女人也能得到很多好处。对商界女性的一项研究表明,研究者在评分表上关于美丽程度打的每一分每年能带来 2 000 美元的薪水。然而,美丽也是要付出代价的。几项研究的结果表明,有魅力的女人不怎么招同性的喜爱(即使她们自己也是漂亮女人),这些女人维持友谊也不太容易。

## 女人想要什么?

有报道说,玛丽莲·梦露曾经和约翰·肯尼迪总统约会过,但是在他当选为总统之前,她没有和他发生过性关系。在许多动物中,雌性只和地位最高的雄性交配。例如,黑松鸡是长得肥胖、住在地面上的鸟类,它们的交配仪式很滑稽。公鸡聚在一起,为争夺一块地盘的控制权而奋力争斗,而母鸡则坐在场外检查公鸡们的每一个姿势和体态。

雄性争斗的地盘没有什么资源,雌雄松鸡都不在那儿吃东西,它不过是一块雄性为耀武扬威而选择的场所。由于母鸡从公鸡那里除了精子得不到任何东西,因此它们似乎可以任意选择一只可以激发其幻想的公鸡。最终它们还是一致选择和最勇猛的公鸡在那块毫无价值的地盘上进行交配。

地位对人类也是有用的。一项对将近 2 000 个婚姻的研究表明，嫁给受教育程度更高的老公的那些女性比其他女性更成功。具体而言，丈夫地位更高的女人可以生养更多孩子，而且离婚的可能性更小，并且在婚姻中更加幸福。

所有的动物都在寻求能帮助它们成功繁殖的配偶。在这场争斗中能起作用的特征更有吸引力，而女人则更进一步把力量和地位结合起来。你有没有听说过出色的女参议员和她年轻的男性助手发生性关系的事情？我们也没听说过。优秀如果为女人所拥有，就不会发挥春药的作用。

除了地位，金钱对男性吸引力的大小也发挥着关键作用。在征婚广告中，女人提到钱的频率是男人的 10 倍以上。女人也会为爱情和承诺而登广告，这些是男人刊登的多数广告中显著缺乏的特征。在心理实验中，女人明显更喜欢戴劳力士的丑男，而不是穿汉堡王（Burger King）制服的英俊小生。

{ 前景最为光明的女人对潜在配偶所拥有的金钱的重视程度比其他女人更甚。 }

有时，杰伊要去工作的时候，会穿上我们称之为“双料汉堡王”（double Burger King）的衣服。事实上，我们都把自己的着装分为 3 个等级：“普通”“汉堡王”和“双料汉堡王”。虽然松垂的短裤和被磨损的 T 恤最舒服，我们还是提醒自己“衣着低等的人是丑陋的”。

那么，为什么杰伊有时候会穿上已被磨破的 T 恤、短裤和凉鞋呢？当他想特别卖力地干活时，他知道穿“双料汉堡王”的衣服会感到不对劲。但他这样穿就不好离开办公室了。结果，他就避免了社交的诱惑，也不会去什么校园饭馆了。

女人在和男人的关系中之所以重视资源，其原因和对地位的重视相同：她们可以利用食物、衣服、房子和用钱能买到的其他商品来提升自己的生活品质。有趣的是，前景最为光明的女人对潜在配偶所拥有的金钱的重视程度比其他女人更甚。

女性的这些偏好在有关婚姻的数据中也显现出来。由于获取资源是要花时间的，所以男性的魅力会随着年龄而增加。20 世纪美国人的婚姻中，丈夫平均比妻子大 3 岁，恰好与 17 世纪的荷兰一样。数百种文化中都有类似的年龄差别。

女人找的是在金钱上有保障、社会上有地位的男子，而不是要找老男人。然而在美国，40 岁的男子比 20 岁的男孩平均每年多挣 2.1 万美元。所以女人找的如意郎君都是年龄偏大的男人，但是年龄本身并不让人兴奋。这就解释了为什么美国男人每年会花费 10 多亿美元来治秃顶的毛病，因为秃顶是年老最明显的标志。

女人之所以会回避老男人，具有基因上的原因。女人甚至在出生前就在为卵子做补充，而男子终生都在制造精子。随着男人老去，他的精子也更多地成为复本的复本，结果就是 DNA 的错误不断增多。

一天晚上，特里的朋友克莉斯蒂兴致不高地谈起了和一个男人在校园舞会上的约会。特里对她不高兴的原因感到纳闷，于是问了一些问题。那人聪明吗？聪明，像爱因斯坦一样。健壮吗？肌肉发达。幽默吗？非常幽默。“这家伙看起来很棒啊，有什么问题？”特里问道。“他太矮了，好像只有 1.52 米。”克莉斯蒂回答说。特里明白了。

因此，除了地位和金钱，要找对象的男人应该考虑穿一双增高鞋。这个社会给予了高个子的男人很多好处，所以毫不奇怪的是，女人会很看重男人的身高。在商业界，超过对手 0.3 米的身高带来的价值每年会超过1 000美元。

41位美国总统中有39位的身高超出常人，而且高个子的候选人几乎赢得了所有竞选。不过有个明显的例外，就是较矮一些的尼克松打败了麦戈文。由于身材高大能带来这么多好处，所以我们都会做出高一点的样子，而且几乎有3/4的人在被问到身高时都会夸大他们的身高。

## 对美丽的偏见有哪些好处？

审美价值观部分源自我们的动物性遗传，它们塑造了我们对配偶、朋友、同事和政客的看法。由于我们一般来说无法让自己变高，也无法选择汗水里的基因成分，那么对美丽的认识能帮助还是妨碍我们呢？其实这会对我们有所帮助，具体表现在以下两个方面。

第一，不必猜什么才能使人们显得有魅力。青少年时期，我们想要找到变得魅力四射的魔方。为了学习约会的规则，我们需要变成骨瘦如柴、沉溺于毒品的摇滚明星，或模仿电视上的偶像吗？现在，答案很明确了，而且还有好消息：许多普遍且有效的催情剂（我们要在下面详细解释）是每个人都可以得到的。第二，通过了解人们在美丽方面的偏见，我们可以更好地控制自己的行为。

咱们谈谈这些偏见吧，每个人对某些特质都存在无意识的偏好。例如，在一项研究中，研究者请400位老师每人都对一位五年级学生的许多方面进行评价。这些老师都拿到了一份同样的书面陈述，但是拿到的照片不一样：有的上面是一个有吸引力的孩子，有的则不是。结果他们认为更好看的孩子更加合群、受欢迎，甚至更加聪明。

有些人懂得利用他们的外表来为自己谋取利益。在一次五年级午餐会上，特里惊讶于南茜竟会走过来和自己坐在一起，南茜可是他们小学中最可爱的女孩。她说："那块布朗尼蛋糕不新鲜了，你不吃了吧?"特里因为可爱的南茜和自己说话而高兴得没回过神来，于是顺口答道："当然不吃了。""好，那你不介意我吃了吧?"南茜把蛋糕拿走了，以后再也没有和特里说过话。

有些人懂得利用他们的外表来为自己谋取利益。

给有魅力的女人一些好处——一般称为"漂亮女孩折扣"，是很普遍的现象。在一个比特里的布朗尼蛋糕实验稍微科学一点的实验中，研究者把几角钱放在了电话亭里。有人打电话的时候，就让一位女士前去问："我是不是把几角钱忘在那儿了?"10个漂亮女人中有9个拿回了钱，而10个相貌平平的女人里只有6个把钱要了回来。

为了不至于认为只有坏人才在行为中存在偏见，我们可以回忆一下，甚至婴儿都会盯着漂亮面孔看更长时间。我们都有一个前意识的"美丽过滤器"，它会影响我们对他人做出的行为。如果你和我们一样认为存在偏爱是错误的，那么咱们必须进行调整。

如果不愿因美丽产生偏见，我们就必须建立预防系统。一个小例子就可以说明问题：本书作者都要求每一个想获得好成绩的学生进行书面答辩。因为作者知道，如果让他们进行口头陈述的话，作者就会像那些五年级的老师一样受到潜意识系统的影响。

回到偏见问题上来。如果我们因那些不受我们控制的因素，如对称性，而影响判断的话，难道不是很不公平吗?是不公平。但是，令人高兴的是，对称性只是未来的伴侣对我们做出判断的因素之一。很幸运，我们可以控制其他会影响婚配打算的因素。

例如，有研究要求一些男女对 13 种他们认为会使配偶具有魅力的品质进行排列，男人和女人都把“友善、善解人意”排在第一位。我们中间有谁不能每天都在这项品质上有所提高呢？

虽然有些评论家强调男女之间的差异，但我们倒认为他们之间的共性更为显著。在同一个关于排序的研究中，男人和女人都关注包括性格、适应能力和创造力在内的 7 个特点。而且，除了男人更加重视外貌，他们和女人对这 7 点的排序完全一致。

最后的好消息是来自一个意想不到的地方。每一个去精子捐献中心的人都会发现，女人选精子的时候要阅读关于捐献者的介绍。虽然通常没有那个人的照片，但还是有大量的信息。在这种地方，我们可以想象得到，人们在选择塑造基因的品质时会特别无情。

一些来自挪威和加拿大的妇女曾经告诉研究者她们是怎样筛选精子捐献者的。她们确实会重视身体特征和良好的健康状况，然而，影响她们最大的是诚实、可靠、体贴等品质。这些品质就和友善一样，是可以在我们的日常生活中不断被改进的。

因此，我们更愿把美丽之樽视为近乎已被装满，而并非尚未装满。第一，通往魅力之路不应该是一个谜。好配偶的行为和妈妈教我们的几乎一模一样（如果知道这些教导会带来比童子军美德勋章更多好处的话，我们会听得更多）。第二，任何人如果体贴、身体健康且比较富裕的话，都可以变得大受欢迎。还有比这更公平的吗？

# 第 8 章　不忠：欺骗的心

## 人类的身体就是为不忠设计的

设想一下，有一天，你的配偶或伴侣和另外一个人建立了感情上的亲密关系，他们在一起笑，说悄悄话，互相陪伴着度过长长的午后。再设想一下，你的伴侣和其他人发生了短暂的性关系，虽然没有感情的投入，可也汗流浃背、动静很大、充满欲望。这两种想法都令人不快，但是哪一种场景更让你不安呢？

> 找到配偶并不意味着艰苦斗争的结束，远非如此。婚姻和一夫一妻制并不是我们基因的“圣杯”。

心理学家向女人和男人都描述了这两种情景，并且对因此造成的心理上的紧张程度进行测量。不出所料，对于所有的人来说两种情况都使人不快。但是男人一想到自己的伴侣会和别人发生性关系就会发狂，心跳加速，满头大汗。女人在两种情景中的反应都平静一些，但是感到浪漫场景相对而言更加可怕。我们来观察一下造成这种性别差异的深刻的生物学根源，先从探讨婚姻开始吧。

找到配偶并不意味着艰苦斗争的结束，远非如此。婚姻和一夫一妻制并不是我们基因的“圣杯”。在美国人当中，有超过 1/4 的女人和将近一半的男人承认有过婚外情（奇怪的是，读过《时尚》杂志的女性中有一半以上的人有过不忠行为）。虽然婚后发生婚外情的时间比一个世纪以前提早了，但是比例却没有太大的变化。这些行为不忠的是什么人？他们对婚姻的决心为什么瓦解了呢？

对丈夫们的警告：你怀里的孩子可能不是你亲生的。如果婚姻中的欺骗导致丈夫并非孩子的生父，这就叫作“戴绿帽子”。英国的一项研究发现，丈夫被“戴绿帽子”的比例几乎为10%，其他社会的比例为1%～30%。通过DNA指纹识别，研究者发现1 607个瑞士孩子中有11个不是现在的父亲亲生的。悲哀的是，一些男人是在他们自愿为患病的孩子捐肾或其他器官的时候才知道真相的。在手术前的组织鉴定（tissue-typing）中，有时就可以断定这个男人不是孩子的生父。

美国副总统谴责电视造成家庭价值观的堕落后，《纽约日报》刊登新闻头条——《从奎尔到墨菲·布朗：你这妓女》（*Quayle to Murphy Brown*：*You Tramp*）。从杰里·斯普林格（Jerry Springer）到里基·莱克（Ricki Lake），电视里充斥着伦理败坏的故事。然而，在把不忠归咎于因通俗文化促成的道德沦落之前，让我们向那些未受电影和摇滚影响的动物朋友进行查证。

由于既没有钻石戒指，也没有印有组合字母图案的手帕，我们难以断定动物“结婚”了没有。但是有一点很清楚，就是多数动物从来没有形成过类似于婚姻的约定。标准的做法是爱情在一夜之后结束，而哺乳动物中的一夫一妻制也很罕见。

不过，从尼罗河鳄鱼到澳大利亚蜣螂，在世界各地还是生活着许多对婚姻忠诚的动物。如果墨菲·布朗是只鸟儿的话，她就不会是单身母亲了，雄鸟会很可靠地扮演父亲的角色，为幼鸟带回虫子和其他美食。

但是，表面现象也可能是有欺骗性的。有些实验很巧妙，研究者抓来一些红翅黑鹂，用很小的解剖刀，有点疯狂地把鸟儿的输精管切除掉。结果和人类一样：雄性可以有性生活，可以射精，但是没有精子。所以，如果配偶怀孕的话，切除了输精管的雄性（鸟儿或人类）有理由感到难过，因为这意味着它的配偶的受孕并非清白，配偶一定做了些别的事情。

我们讨论的红翅黑鹂在南方过冬，夏天则迁到新英格兰去。生物学家抓到一些北迁的鸟儿，给一些不幸的雄鸟做了输精管切除手术，然后把它们放了，并在整个交配季节对它们进行观察。切除了输精管的雄鸟和其他雄性一样精力充沛地打斗，保护自己的地盘。它们还有自己的伴侣，热情洋溢地进行交配。

{不管在生活中忠诚与否，人类的身体就是为不忠而设计的。}

这一切看起来井然有序：每一只雌鸟都在和一只雄鸟一起吃、睡、交配。不久，它们产下鸟蛋，小鸟也出生了。令研究者惊讶的是，多数和切除了输精管的雄鸟在一起的雌鸟也生了孩子。看来，像人类一样，鸟儿中存在的一夫一妻制也不如我们想象的那么纯粹。

不管在生活中忠诚与否，人类的身体就是为不忠而设计的。我们可以观察到，大猩猩的睾丸有高尔夫球那么大，而黑猩猩的看起来更像棒球。大猩猩的睾丸占身体总重量的 0.02%，而黑猩猩的则达到 0.30%，是大猩猩的 15 倍。为什么会出现如此巨大的差异呢？勇敢的灵长类动物学家已经观测到受孕需多少精子，大猩猩的小睾丸刚刚够用，而雄性黑猩猩产生的精子远远超过了受孕所必需。

为什么黑猩猩浪费掉多余的能量来形成大睾丸并产生过剩的精子呢？进化过程难道不该选择那些花费最小还可以把工作做好的睾丸

吗？对于大猩猩来说，效率确实是要遵守的规则，在它们中间，所有的雌性都只和一个雄性进行交配，那就是占统治地位的银背大猩猩。但是成熟的雌性黑猩猩一天要和许多雄性进行好多次交配。

由于黑猩猩是混交的，所以会有不同雄性的精子在一个雌性的子宫里为受孕而战。想赢得精子大战的黑猩猩必须带领大部队前来，于是它们两腿之间就有了棒球大小的睾丸。

为了了解某种动物的交配实践，我们可以首先观察其睾丸。人类又是怎样的呢？我们显然不是为一夫一妻制而生的，但也不像黑猩猩那样滥交。人类睾丸的平均重量是体重的 0.08%，是大猩猩的 4 倍，但只有黑猩猩的 1/4 左右。就像黑猩猩一样，人类产生的精子也超出了受孕所需的数量，男人用一个睾丸来生殖是没什么困难的，已足够了。

人类每次射精产生的精子有 99% 都是不成熟的。许多不成熟的精子属于“寻找—消灭型”精子，它们会四处寻找其他男人的精子并消灭它们。而其他精子则作为阻碍者，不让其他男人的精子进入子宫。

不忠远非社会文化的创造，而且社会规范还对这一行为进行严厉地制裁，但它依旧存在。

如果没有其他精子作对，我们的身体还有必要产生数千万的“反精子”吗？夫妇分开一段时间（可能在此期间双方都比平常有更多机会发生不忠行为）以后，男人产生的精子里面，反精子阻碍者占的比例更高。

不忠远非社会文化的创造，而且社会规范还对这一行为进行严厉地制裁。但它依旧存在，不管其社会是富还是穷，是民主还是独裁，以及有什么宗教信仰。

大睾丸和“反精子”表明人类不忠行为的普遍性有其深刻的生物学根源。但是还有一个问题：为什么会这样？新婚夫妇一般并不打算欺骗对方，他们在有过不忠行为之后也会后悔。但是在许多婚姻中，甚至在整个动物世界里，诺言做出之后总会被轻易打破。

## 婚姻是笔交易，该怎么理解？

为了理解不忠，我们必须理解婚姻。记住，女人和男人是通过不同的方式和不同类型的伴侣来追求相似的基因上的目标的。在罗曼蒂克的谈判中，男人对许多事情都进行了许诺：时间、承诺、关爱和金钱。女人则许诺时间、承诺、关爱及生育力。毫不讳言，婚姻就是笔交易。

甚至在最艰苦的谈判中，双方通常都能找到共同点。在交配游戏中，协议可以把人们带向教堂和婚礼招待处。许多社会都使谈判条件一目了然，认为婚姻使男人享有单独占有妻子的权利，以回报他对妻子和孩子所做的付出。

但是基因从不睡觉。基因的神话故事没有这样的幸福结局：“他们结了婚，从此过着幸福的生活。”而是：生孩子，再生孩子，只要能生孩子，不管用什么办法都行。当然，它们首先要把一对男女赶上婚姻的走廊，但是只要有兴趣，它们还会把我们推向背叛的道路。

> 在罗曼蒂克的谈判中，男人对许多事情都进行了许诺：时间、承诺、关爱和金钱。女人则许诺时间、承诺、关爱及生育力。

不忠，通常是一方为了提高自己在婚姻交易中的筹码而进行的无意识的尝试。不忠的女人是为了给孩子寻找更好的基因，以及（或者）为自己寻更好的伴侣；而不忠的男人则是为寻找额外的生育力，以及（或者）更好的配偶。

为了进一步了解婚姻，我们要问一个问题：人们为什么离婚？“四 F”就是问题的答案——生育力（Fertility）、忠诚（Fidelity）、资金（Fund）和性[①]（Sex）。以不孕为例，在所有社会中，有孩子的夫妇不大可能离婚，孩子越多，婚姻破裂的可能性就越小。在许多社会里，只有生了孩子的婚姻才被认可。

鸽子有一种建立在忠诚之上的交配系统。一对鸽子会走到一起，并且在整个繁殖季节都互相厮守，但是任何不能生育后代的关系都注定会破裂。不能生育后代的鸽子夫妇 100% 都会进行无过错离婚，并在下一个季节找到不同的伴侣。而生儿育女的鸽子夫妇则会年复一年地待在一起。

比生育更重要的是忠诚。虽然空巢会在数年中使一对夫妇分离，而不忠则可以在一夜之间就做到。一项对 160 个人类社会群体的研究发现，不忠在离婚原因里占压倒性的多数，其他离婚模式也都反映出性的问题。与流行的“七年之痒”观念相悖的是，人们更可能在婚后第四年离婚。在 60 多种极不相同的文化中都存在这个“四年之痒”的问题。

在结婚的第四年离婚使妻子和丈夫都还可以拥有他们的基因蛋糕并吃掉它，因为双方都可能还处于旺盛的繁殖期，仍是配对游戏中的“热门货”。所以，毫不奇怪的是，超过 3/4 的人（男女比例几乎相等）都在离婚后再婚了。虽然美国的离婚率近年来有所上升，但我们结婚

---

① 因 Fuck 为俚语，故在此作者用 Sex 代替。——译者注

的欲望却没有消退。

而生育力和忠诚之外的因素，特别是金钱，在离婚的争吵中也起了一定的作用。结婚5年后，女人抱怨配偶小气的比例是男人的3倍。女人尤其爱埋怨丈夫缺乏送她们礼物的兴致。

杰伊对一个熟人罗素提到过这个事实。罗素显得满不在乎，实际上是打着哈欠说："不用你们这两个哈佛的家伙来告诉我，我也知道需要买更多礼物送给我老婆。"杰伊问他是不是真的给妻子送去了很多礼物。

"没有，但是我不需要你们来告诉我。"

"罗素，多给妻子送礼物吧，今天就开始。"

离婚率也许同样反映了女性机会的问题，而不是家庭价值观的沦落。当女人挣的钱比男人多时，离婚率就会上升50%。在昆申人以捕猎和采集为生的社会中，女人搜集食物，提供大多数卡路里。对这些女人来说，食物可以转化为权力和影响力，也可以转化为更高的离婚率。这对北美的纳瓦伙族印第安人（Navajos）和几乎所有其他两性相对平等的社会而言都是如此。可能世界各地的女人都会常想着离婚，但是只有那些更加独立的女性才有能力这么做。

## 男人欺骗，女人反击

基因对男人不忠的影响是显而易见、众所周知的，甚至我们可以这样总结——"男人是狗"。男性的生殖产出会随着对婚外性关心的增加而增长，所以这里的成本—收益分析很简单：如果能侥幸成功，男人就会受到诱惑，从而实施欺骗。多数男人实际上并非要摆脱婚姻，这些骗子中有一半以上还形容他们的婚姻是“幸福”的。

由于男人的魅力随着财富的增多而增长，所以男人大多在40～60岁之间有出轨的行为，因为那时候他们终于得到机会了。

什么时候男人最容易出轨呢？这取决于他们什么时候能找到心甘情愿的伴侣。由于男人的魅力随着财富的增多而增长，所以男人大多在40～60岁之间有出轨的行为，因为那时候他们终于得到机会了。这时候是他们收入的巅峰期，在这20年间，他们有1/3以上的性行为是和配偶以外的女人发生的。这期间，男人仍然有生育能力，而且地位和权力还在增加。

女人得到的建议是“站在你男人旁边”。这通常被解释为要忠诚，不过它同时也是预防男人欺骗的好办法。再回到我们原先的想象实验，观察一下还有什么办法能够防止这种由基因造成的灾难。

哪一种情况对女人造成的困扰更大：男人汗流浃背的婚外性行为，还是他与另一个女人密切的感情联系？如果丈夫在一次出差时花了数小时和一个他永远不会再见的女人做爱，这会对妻子生育上的成功造成打击吗？不一定。但是，男人和另一个女人在感情上的密切联系却更有威胁性，因为这经常意味着婚姻关系快要终结了。

在男人四处游荡的世界上，女人应该怎样保护自己的利益呢？只有一种办法，女人要确定能从那个想要获得她的宝贵卵子的男人那里获取资源，那就是：交货前付款。

如果你是一只雌性苍蝇，这种体系就刚好合适。雌雄两性都喜欢吃蚜虫和家蝇之类的美味，但是要找到并抓住这些“营养金块”可能很累，而且有风险。雌雄解决问题的方法是把性和食物联系起来。简言之，除非雄性带给它一顿美味的大餐，否则它才不愿意与之交配。

当雄性苍蝇（我们姑且叫它“哈尔”）捉住什么可吃的东西，它会吃上一口，但是随后会把东西举起来，利用空气传播向附近的所有雌性发出信号。那信号就像感恩节上的火鸡晚餐发出的不可抵挡的美味一样。它宣称：“我是哈尔，一个伟大的猎手。我有好吃的……谁要买？”不久，就会有雌性（姑且叫它“米里亚姆”）露面了。

哈尔把虫子放到米里亚姆面前（不过自己还紧紧抓着虫子），然后把米里亚姆拉到自己身边（6 条腿的生活是有好处的，它还可以同时用另外 2 条腿看书）。哈尔开始提出和新朋友进行交配，而对方也同意了，交配共进行了 20 分钟——这是受精所需的时间。当哈尔活动的时候，米里亚姆则飞快地吃着美味的虫子。

20 分钟过去之后，哈尔就有点暴躁了，而且把剩下的虫子拿回去了。它要用剩下的虫子来引诱其他雌性，或者留着自己吃。而米里亚姆则心满意足地飞走产卵去了，而产卵的确切数量则取决于哈尔让它吃得有多开心。我们要是对罗曼史感兴趣，还是到别处去吧。因为这不过是一笔简单的交易：食物换来受精。给的食物越多，生的孩子就越多。

整个动物世界中都有类似的“结婚礼物”。例如，雄性蜂鸟守着花儿不让其他雄性靠近。需要补充花蜜的雌鸟心甘情愿和雄鸟来一个像苍蝇那样的交易：如果雄性让它吃一会儿花蜜，吃饱之后它会与之交配。

然而，要为预先收取大量报酬的动物颁奖的话，那获奖者定是雌性螳螂了，因为它们会把雄性吃个精光（经常在交配过程中就开始吃它的头了）。因此，从实用主义的角度考虑，雄性螳螂为家庭提供食物的许诺被履行得最为彻底，也是独一无二的。

对于我们没有节育措施的祖先来说，性意味着孩子。而如果一个女人有孩子却缺少关心他们的配偶，她就会陷入严重的困境。这就是女人需要长期投资的原因。大家来看看本书作者的朋友凯文——一个华尔街交易商，是怎样追求国际名模凯特的。

虽然凯文最初的一些罗曼蒂克的建议都被凯特礼貌地拒绝了，但他热情不减。很多次约会结束后，凯文都会用他的豪华轿车把凯特送回家。他会说："我要回家了。不过万一你想过来的话，我会派车来接你。"但是，凯特对他的用心比较警惕，所以坚持独守空房。每天早上上班时，她都会朝那辆等候她的汽车的司机挥手致意。

在许多鸟类中间，雌性答应同雄性交配之前，都会要求对方跳一支精妙费时的求爱舞。它在把东西交付对方之前，会让求爱者花很长时间、下大力气来追求它。这支求爱舞包括奇特的跳水式动作、优雅的盘旋、令人眼花缭乱的扭动和旋转，而且雄性通常会连续出上几天"洋相"。但是在通过这种令人疲劳的试演之后，雌性一般都会指望雄性留在自己身边，以便照顾幼鸟出世，直到它们可以脱离父母的保护。

因此，当场交易中可以得到的另一样最好的东西就是可信的诺言。但是，即使雌性要求雄性做出承诺，进化过程也会使这些承诺变得可疑。毕竟，言语是廉价的，而信任则是冒险的。于是在男人宣誓爱情的情况下，女人会要求他拿出证据。玫瑰很不错，但钻石会更好。

凯特和凯文后来怎么样了呢？几个月过去了，在多次共进晚餐之后，凯特终于被征服了。这段时间里，凯文花费了如此之多的时间和金钱来表达自己的兴趣，他应该是在说实话。确实如此。他们现在结了婚，有 3 个孩子，在美国的 4 个州都有房产，而且在加勒比海还有一座私人岛屿。

## 女人也会出轨

女人为什么会“红杏出墙”？回到基本要点来看，获得更多精子并不是答案。在一次生育周期里经过几次性行为之后，额外的性并不能使她孩子的数目增加。而每 9 个月怀孕超过 1 次，这肯定是不可能的。

> 在婚姻契约中，女人寻求的是好基因和承诺。通过出轨，她们可以使两项条件中的一项或两项得到升级。许多灵长类动物中的雌性都会用性来控制雄性。

女人可以得到足够的精子，她们甚至不必担心短缺的问题。那是否意味着她们对做出不忠行为的机会不感兴趣呢？绝对不是。在婚姻契约中，女人寻求的是好基因和承诺。通过出轨，她们可以使两项条件中的一项或两项得到升级，而这意味着女人在不忠时比男人更有算计。

我们可以料到，女人倾向于两种不同的出轨：一种是可以改善她们后代的基因，另一种则可以帮助她们获得其他男人更多的承诺。在同一个男人身上不一定两样东西都能找到。斑胸草雀在做出不忠举动时也具有类似基于基因的偏见。一只进行“基因采购”的雌性斑胸草雀只有在另一只雄鸟比它现任伴侣更加健康，或占领了更好的地盘的情况下，才和它进行交配。而一只进行“基因存放”的雄鸟则可以和任何一只雌鸟行其不轨。

回想一下本书的导言。你是否还记得本书作者说过，在一个月中有 4 天丈夫应该特别关心妻子？原因就在于：想要欺骗丈夫的女人最有可能在排卵前后 4 天里这样做，而这 4 天是她们生育力最强的时候！你想要“采购精子”的话，要在手推车里还有地方的时候买。

已婚女人发生婚外性行为的比例很小，不过要是有不忠行为的话，那可都集中在生殖期。女人和情人做爱时，比和丈夫做爱时采取避孕措施的可能性要小得多。这就解释了为什么许多小孩不属于他们的“老爸”。

但女人是怎样知道自己处于生殖期的呢？实际上，她们并不知道自己是否处于这个时期，但她们的激素会在潜意识里影响着其行为。几乎所有的雌性灵长类动物都会通过显示其鲜艳而膨胀的生殖器，宣告自己正处于生殖期。雄性黑猩猩在 0.4 千米以外的地方就可以辨认出处于排卵期的雌性。

但人类并不如此。躺在妻子身旁的男人无法察觉任何蛛丝马迹。更令试图要孩子的夫妇们（还有尽量避免怀孕的十来岁的青少年）灰心的是，人类天生就有一个罕见且特殊的系统——隐藏排卵，因此女人的生殖状态是不明显的。这一系统使女人能够采取对付男人的对策，部分在于可以让生育力旺盛的妻子溜出去寻找更好的基因。

所以一些女人的出轨仅仅是想为孩子们寻找更好的基因，而另一些人则通过不忠找到更好的伴侣。事实上，多数不忠的女人都认为她们的婚姻“不幸福”，而 3/4 的人则说她们希望在婚外关系中找到长久的承诺。

孩子是更像母亲还是更像父亲？心理学家做了一个实验，让一群陌生人看一组照片，根据照片判断一些孩子的父母分别是谁。对于 10 岁的孩子，陌生人猜对其父亲的比例和猜出其母亲的比例相同。但是对于1岁的孩子，人们则更能猜对他们的父亲是谁。小孩像父亲，因为这样可以引诱男人照料他们，而自信的爸爸还会帮他（她）换尿布。

## 雌性通过性来帮助孩子

女人从男人那里寻求的是好基因和承诺，但这并非事情的全部。雌性有时还会利用性来改变雄性对其后代的行为。为什么要这么做？在许多动物中，雄性都会杀害其他雄性的幼子。这种杀子行为有明显的基因上的好处。把年幼的动物杀死之后，可以诱使孩子的母亲比原本更快地接受与他的性行为。然后，他就可以让她怀上他自己的孩子了。

科学家研究了在旅鼠中广泛存在的雄性杀子行为。在一项实验中，科学家发现，和一只雌鼠有过性关系的雄鼠几乎从不杀害它的幼鼠。事实上，它们还经常帮助照顾幼鼠。相反，与这位母亲从未发生过性行为的雄鼠则平均会杀死它42%的孩子。

一个聪明的操控办法揭示了旅鼠杀子行为的确切机制。科学家把能产生气味的化学物质从一位年轻旅鼠母亲（我们可叫它“米歇尔”）的身上取下来，然后涂抹到一只没有孩子的雌性鼠（叫它“尼科尔”）身上，接着让一些雄鼠和尼科尔进行交配。后来，把这些雄鼠介绍给米歇尔妈妈和它孩子的时候，这些雄鼠没有杀死幼鼠，也避免了良心上的谴责。因为那些化学物质让它们误以为自己和米歇尔进行过交配，所以就对它的孩子们表现得像是慈爱的父亲一样。

我们对旅鼠了解得很清楚了。雄鼠利用化学线索来判定它和哪些雌性发生过性关系，从而不去杀死这些雌鼠的孩子。但另一方面，如果它知道是竞争对手的孩子，则会发动猛烈的攻击。

杀子现象在灵长类动物中并不普遍，但也有相似性。例如，在印度的叶猴中，每个群体都有一个占统治地位的雄性，它可以优先和所有的雌性进行交配。但是，大约两年一次，这只雄猴就会被一个外来者击败。新的雄猴开始统治时，会四处寻找并杀害前任的孩子，它还可能会杀死那些在它开始统治后不久出生的婴儿。

雌性叶猴遇到新的雄性统治者之后会怎么做呢？跟雄性进行交配。为什么？当然是为了促进雌性自己基因的改进。如果是它杀死了雌性的孩子，那就该建立新家庭了，而它是猴群中唯一的雄性。如果雌性已经怀上了前任的孩子，那为什么还要和新的雄性进行交配呢？这个原因就不那么明显了。可能雌性是想利用这个策略让雄性相信，快要生下的孩子是它的，以后就不会打搅它们了。

{ 许多灵长类动物中的雌性都会用性来控制雄性。 }

许多灵长类动物中的雌性都会用性来控制雄性。例如，在巴巴里短尾猿中，雌猴在发育最成熟的时候会每17分钟和雄性交配一次，连续数天都如此。它们热烈地追求雄猴，并且和群体中所有成熟的雄性都发生过至少一次性行为。我们谁也不能确切地说出雌猴从中得到了什么好处，但有一个理论指出，它们在改变雄性的行为，因为雄性不会杀死它们性伴侣所生的孩子。

在某些文化中生活的女性也利用了相关战略来帮助后代。在南美的原住民Ache人中，女人公开和多个伴侣发生性关系，而一个孩子可能会不止有一个父亲。这样，其中一个男人就是“第一父亲”，担负着传统父亲的角色，和孩子的母亲生活在一起，并为孩子提供生活所需。

女人和男人从这种制度中得到了什么好处呢？首先，让我们看看女人得到的报酬。Ache 人的寿命比较短，如果女人的第一任丈夫死了，其他丈夫之一就会替补上来帮助她和孩子。在这个严酷而对能量要求很高的世界里，没有父亲帮助的孩子的死亡率比有父亲帮助的孩子要高得多。

我们再从男人的视角看一看。和其他男人共享一个女人同样有弊也有利。通过共享，男人抚养孩子的机会就减少了，但是好处在于，他自己亲生的孩子（因为他们都有“后备父亲”）生存下来的机会就更大了。

研究人员对 Ache 人进行的最全面的研究发现，63% 的孩子都有两个以上的父亲。当然，如果男人的死亡率降低，就像在多数工业社会中的人那样，这种“保险单”就不会那么有吸引力了。事实上，工业社会的男人会花费大量时间来确保自己没有抚养另一个男人的孩子。

## 男人在情感中的暴力表现

尼科尔·布朗·辛普森被谋杀后，O. J. 辛普森本来会成为主要嫌疑人——即使他没有血手套和布鲁玛妮（Bruno Magli）鞋印。但当年轻女子遇害后，所有精明的侦探都会首先调查有没有男子与她不睦。

为了使女人保持忠诚，男人用尽各种办法，从激情洋溢的诺言到监督、威胁，还有暴力。古往今来、世界各地，谋杀都是男人的这些策略导致的一个悲惨结局。1998 年，在美国被谋杀

为了使女人保持忠诚，男人用尽各种办法，从激情洋溢的诺言到监督、威胁，还有暴力。

的 3 419 个女人中有 1/3 是被曾经的恋人杀害的。

让我们回到本章开始时提到的想象实验。带给男人最多困扰的是什么？男人害怕的是他所指望的性独占也被别的男人占有了。和女人不同，他从来不敢肯定妻子生的孩子是否带着自己的基因。如果戴上了“绿帽子”，他可能是在花钱教育别人的孩子，甚至还可能在不知情的情况下为这孩子捐出自己的肾。对于一个男人来说，虽然伴侣和其他男人之间的感情联系可能会由于发生性行为而给他带来威胁，但是再也没有比事实上的不忠更糟糕的了。

就像基因一定会造成人的进攻性一样，它也会带来防御性战略。滥交是一把“双刃剑”，一个男人必须假设其他男人会对自己的配偶采取行动。他必须阻止，但是怎样阻止呢？

男人用来使配偶保持忠诚——或至少是尽力达到这个目标——的发明从简到繁，无所不包。可以想见，最简单的办法是可靠地站在女友旁边守卫。一个高中女孩会在男朋友的鼓励下穿上他大学代表队的夹克，或者在脖子上挂他学校的标志。他或许还会对朋友们大吹特吹和女孩的关系。当然，这些都是表现爱护的简单标志，而他的基因传递给其他男孩的基因信息是：“离她远点。”

朱迪思是一个 26 岁的研究生，她一般会在晚上 10 点 45 分离开派对。在别人的追问下，她承认在异地的男朋友喜欢在每晚 11 点打电话过来和她聊天。成熟的朱迪思会像钟表一样准时从充满潜在追求者的屋子离开。难道她男朋友仅仅是喜欢聊天吗？也许，但是如果他每天晚上都赶到她的公寓并坐着不走，他那诡计多端的守护策略可能会更加奏效。

对，那主意不错。在一些动物中，雄性在和雌性交配完之后还会在其身上待上一段时间。通过这样的方法，不愿抚养他人孩子的雄性不用嫉妒，不用半夜打来电话，也不用给伴侣穿运动夹克，只需做他们能做得到的，就能保证在父亲节收到的礼物确实是给自己的。

守卫自己的配偶和引发这一行为的嫉妒心，其核心都反映了一种不安全感和不确定性。只要孩子是从自己的身体里面出来的，女人就可以确定他们带着自己的基因。相反，只要女人处于生育期，男人就处在一个“危险区”。如果她在此期间和别人做爱，她生的孩子都可能不是他的。如果他想要帮忙抚养孩子的话，就最好把他在危险区的风险降至最低。

如果一个雄性想垄断一个雌性，那还停止交配干吗？多费事。许多动物中的雄性都是通过这种办法来降低在危险区的风险的。拿家蝇来说，雄性在10分钟的交配过程中就把全部精子都送到雌性体内了，但是它会过1小时才放开雌性。

蛾子会让家蝇们感到自愧不如，因为蛾子会在整整24小时内连续进行交配。但是真正的冠军是某些蛙类，它们个体的交配会持续几个月之久。根据所占生命的比例计算，如果人类也花上类似的时间，那么一回合就要持续将近10年。

即使我们能拿出10年的时间做爱和守卫自己的配偶，采取这种战略还需要除毅力和决心之外的其他东西。自然选择使这些雄性的生殖器里长满了惊人的钩、刺和扣，防止其在做好准备之前威力减弱，这就使采取这一策略成为可能了。

但是只有在雌性处于生殖期的时候才有必要看着它们。从海象到家燕，每种动物似乎都深谙此道。在雌性的整个成熟期，它的配偶都盯得很紧，把它所有的时间都占用了。但只要这个时期一结束，雄性的进攻性就减弱了，它会让雌性和随便哪个它喜欢的异性结交。

人类学家对特立尼达岛上的人进行研究后发现，人类的看守配偶行为和其他动物相似。和那些妻子不那么成熟的男人相比，那些妻子处于成熟期（没有怀孕也没有养育孩子的年轻妻子）的男人会花费大量的时间守护着她们。

特立尼达岛的丈夫们是怎样不让其他男人接近自己配偶的呢？他们没有什么精心设计的好策略，只是花费更多时间在房子周围转悠。他们也会因为配偶而和其他男人大打出手。那些妻子不那么成熟的男人则比较随和，他们会和其他男人在一起待更长的时间，陪妻子的时间就少得多了。想知道一个女人现在有多成熟吗？拿一个卷尺，量量丈夫离她多远，你就知道了（如果他问你在干什么，你可要准备好退路）。

由于缺乏有关生育力的数据，如果想预测一个男人会如何强烈地守护他的妻子，我们只需看看年龄就知道了。不管是不是新婚，比起20来岁的妻子，30来岁的妻子会更加自由地去做她们想做的事——不论如何测量都是如此。反过来却并非如此。不管男人是20岁、30岁、40岁或更老，女人守护丈夫的热情都不会有任何变化。女人监督自己日益老去的丈夫是明智之举，因为40来岁的男人成熟、富有且不忠诚。

除非你的胃不好，否则还是可以接着往下读。在反对戴“绿帽子”的世界里，自然选择画板上的种种策略比在最令人毛骨悚然的恐怖电影里看到的还要狡猾、可怕。

我们来看一看“黑寡妇”蜘蛛的奇特方式。雄性蜘蛛不用传统的贞洁带，它把性器官折断在雌性体内，防止其再度和其他雄性交配。这一举动完成之后，雌性会杀掉雄性并把它吃掉，真是“女妖精”。不过这确实是普遍存在的一种粗暴的正当行为。雄性把雌性的生殖管道封死，能保证自己是小蜘蛛的亲生父亲。而雌性吃掉情郎营养丰富的躯体则可以得到生育幼蛛所需的资源。

雄性蜘蛛不用传统的贞洁带，它把性器官折断在雌性体内，防止其再度和其他雄性交配。

但在棘头虫那里，就没有这样公平了。这种普通的雄性寄生虫通过“黏腺”把它们的防护策略发展成为一种接近艺术的形式。交配之后，它们不会守在配偶身边，甚至不花一点时间守护雌性。它们没必要这么做，而只是用黏液封住了雌性的阴道。

雄性棘头虫也会迫使自己出来和对手战斗，它们会堵住对手的输精管。更阴险的是，一些其他种类的雄性昆虫还会直接把自己的精子射入对手的体内，于是精子就到了受害者的睾丸里。受害者恢复过来后，在和雌性交配时，就用侵略者的精子使雌性受孕。

交配之后，精子大战还会继续。雄性蜻蛉在把自己的精子射入之前，会用它铲形的阴茎挖雌性的生殖管道，为的是除掉前任情郎的所有精子。其他种类的雄性动物则会在交配前射入威力强大的杀精剂（对一些鲨鱼来说，只是简单的海水流），来毁灭并冲掉对手的精子。

果蝇的精液中用来毁灭雄性对手精子的毒素会使雌性的预期寿命减少10%。精子大战中的雄性肮脏而粗野，毫不顾及雌性的安危。但如果还有别的说法的话，它们倒是让我们有理由感到庆幸，因为相比之下，我们人类的性战争在本质上相对仁慈一些。

## 如何增进与恋人的亲密关系？

人类通常表示愿意实行一夫一妻制，而好消息是，许多人确实成功了。虽然婚姻能带来种种好处，但要实现忠诚的诺言还是需要自制力的。每一方都要放弃一些自由，以回报基于信任之上令人满意的关系。不忠是对婚姻“契约”的肆意漠视。为了避免冲突，我们应该重点关注怎样使我们的婚姻成为甜蜜的交易。

虽然婚姻能带来种种好处，但要实现忠诚的诺言还是需要自制力的。每一方都要放弃一些自由，以回报基于信任之上的令人满意的关系。

首先，为了交易双方都能满意，我们要去做自己曾经许诺要做的事。选择和某个人共度时光是表示意愿和承诺的强烈信号，不断送妻子礼物的丈夫就实现了自己的婚姻诺言。女人也应该经常送礼物给丈夫，但最好的礼物可能就是激情澎湃的性爱。

在恋爱初期，刚走到一起的恋人有什么行为特征呢？他们渴望和对方一起消磨时光：为了约会，再累也不怕；做什么都不显得愚蠢。他们还互赠礼物：无须理由的鲜花，或者他们认为对对方会有用的书籍。

刚刚走到一起的恋人互相倾听，整个周末都在床上度过。这些人彼此如此迷恋，又有什么好奇怪的呢？不要认为这些行为是异想天开、不切实际而拒绝它们，这些恋人们在精心创造着能令双方都感到满意的交易条件。如果像他们一样，我们也能做好。不应把浪漫阻挡在我们的婚姻关系之外。

其次，不要做我们曾经承诺不会去做的事。危害婚姻关系最有效的办法就是破坏交易的基础。女人许诺丈夫他会是他们孩子的亲生父亲，所以和其他男人发生的任何性关系都会动摇婚姻的根基。男人承诺把精力用在婚姻上，所以最大的背叛就是把大量时间和金钱花在别的女人身上。

我们面临的诱惑深深根植于我们的内心和大脑的基因之中。婚姻双方都应该采取行动来反击这些难缠的基因。如果我们有了亲密的异性朋友，我们要认识到这会对我们的配偶形成内在的威胁。我们应该让异性朋友和配偶一起参加活动，而且自由分享社交信息。比如，一起听电话留言。发展秘密关系会增强猜忌并会使诱惑力增强。

最后，为了改善婚姻关系，我们还应该不断提高自身修养。想象一下，在一个鸡尾酒会上，一位诙谐、聪明而充满活力的人在觥筹交错间引人注目，而你的配偶被这个人迷住了。那位可爱的人是你吗？或许曾经是。只要我们还能互相放电，那么在一夫一妻制和促进不忠的难缠基因之间就不存在冲突。

# 第四部分

## 家庭、朋友和敌人

第 9 章　家庭：难解的纽带

血缘 · 兄弟姐妹 · 冲突 · 母性

第 10 章　朋友和敌人：靠近朋友，更靠近敌人

战争 · 种族 · 闲聊 · 马路暴怒 · 忠诚

为什么我们爱自己的家人？

家庭冲突可以避免吗？

人天生就好战吗？

为什么我们生来就自私？

# 第 9 章　家庭：难解的纽带

## 我们爱自己的疯狂之家

特里的大姐苏是兄弟姐妹中的老大。在伯纳姆家孩子中的老二简出生之前，苏有两年的时间都舒舒服服地享受着父母全部的关爱，所以她几乎马上就对婴儿简得到的关注表现出怨恨。这种怨恨与日俱增，直到一天她把婴儿车里的简“绑架”了，连人带车地将其扔到一千米以外的地方。

苏的行为虽然残忍（对一个两岁大的孩子来说，还是有点创造性的），但是其实也并不算反常，不是吗？家庭的纽带是感情上的，并且十分紧密，而我们和父母及兄弟姐妹的关系又属于生活中最重要的关系。如此利害攸关，难怪关爱和恼怒会如此易于共存。

以感恩节或随便一个节日为例。许多人每年只能和家人团聚很少的几次，因而一般都期待着这些日子的到来。我们花费时间和精力去购买最好的礼物，还期望能和多年未见的兄弟或最喜欢的阿姨深入畅谈一次。但是过不了多久，甜蜜的期望就发酸变质了。与疯狂的叔叔、喝醉的祖母、发昏的表兄妹及恼人的兄弟姐妹在家待上 5 小时左右，我们就想起了当时迫不及待地离家上大学的原因。

电视剧就善于利用这种爱恨关系。从《反斗小宝贝》（*Leave it to Beaver*）到《帕特里奇一家》（*The Partridge Family*）、《家庭纽带》（*Family Ties*），再到《家居装饰》（*Home Improvement*），看着自己的传奇故事在小小的荧屏上演，我们真是乐不可支。

家庭和亲戚关系在人类的每一种文化中都占有中心地位。20世纪60年代初期，本书作者的良师益友欧文·德沃尔到卡拉哈里沙漠同昆申人生活了一段时间。到那儿不久，人们隆重地为他起了个名字——纳什·纳（!Nashe !Na），还给他指派了一位母亲（她一遍遍地说生这么个大高个儿该多不容易）。

收养欧文不仅仅是为了表示欢迎，昆申人不成文而严格的行为准则都是由亲戚关系驱动的，比如和谁一起吃饭，和谁一起外出，等等。两个人在一起时，甚至他们所使用的语言也受到亲戚关系的限制。例如，和岳母在一起时，绝不能说脏话，但是和同性的一母同胞在一起时，开什么下流玩笑都可以。欧文要是没有融入昆申人的亲戚关系体系，他可能就漂泊无依了。

在雅诺马马人中，亲戚关系也被渗透到生活中的方方面面，甚至选择配偶也不例外。每一个年轻的雅诺马马人都被鼓励从一群他们叫作"苏阿博亚"（suaboya）的人中间选择自己的伴侣。所谓"苏阿博亚"，从字面上讲就是"可与之婚配的伴侣"。他们的婚姻是"中表婚"，也就是堂表兄妹之间的通婚。这个词在英语中没有对应的称谓，但英语世界还是存在这种情况。一个人的堂表兄弟（姐妹）就是爸爸的外甥（女）或妈妈的侄子（女）。

虽然"苏阿博亚"是雅诺马马人特有的称谓，但是许多社会文化都喜爱这样的组合。就拿查尔斯·达尔文来说，他娶的就是自己的表妹爱玛。而他的大姐卡罗琳也嫁给了一位表兄，即爱玛的哥哥约西亚。

中表婚可以造就佳偶是出于以下几个原因：和一个拥有共同祖先的亲人结婚生子，可以避免血缘过近而引发生育问题。这种婚配还可以加强联盟关系，比如巩固那些因为拥有共同的祖先而已经比较亲密的家庭之间的联系。

婚姻关系虽然重要，但是对人类来说，最伟大而无条件的爱可能是母亲对孩子的爱。然而，人类中最无私奉献的母亲也一定会对澳大利亚群居的蜘蛛印象深刻。在生下大约100个嗷嗷待哺的幼虫之后不久，母蜘蛛的身体就会溶解成一堆糊状的肉。幼蛛们则会大嚼其肉，以便肚子饱饱地开始生活。

为什么进化过程会产生出解体消融的母亲呢？把孩子们赶去练习足球，并且保证他们刷了牙，难道这还不够吗？基因很聪明，也很冷酷，它们创造的是不择手段获得成功的机制。而它们所谓的成功也仅局限于很简单的目标，那就是扩大下一代占有的市场份额。

所有的事物都是平等的，生活在母蜘蛛体内的基因也渴望多活一天。然而，任何事物又都是不平等的。母蜘蛛死亡的代价虽然高昂，却给了众子女起步的优势，它们身上都带着母亲的基因复本——这就大大补偿了母蜘蛛所做的付出。

基因使得父母天生就能“无私”地为孩子付出一切，但这并非是显示家庭奉献的唯一方式。生物体还和表兄弟姐妹、姑姨叔舅及一母同胞享有共同的基因。我们也能够看到动物们为这些亲戚做出的牺牲。

基因使得父母天生就能“无私”地为孩子付出一切，但这并非是显示家庭奉献的唯一方式。

## 为亲属铤而走险

在和火鸡相似的塔斯马尼亚鸡中，大部分母鸡仅和一只公鸡生活在一起。但是也有大量一妻多夫制的母鸡，有两只公鸡伺候在侧。母鸡事实上是一家之主：它允许两只公鸡和它交配，并要求两只公鸡都为它的孩子提供食物。这对母鸡来说是非常美妙的安排。一项研究发现，有两只公鸡的母鸡平均有 9.6 个孩子，而只有一只公鸡的母鸡则仅有 6.6 个。

公鸡抗议了吗？恰恰相反。两只公鸡不但能容忍现状，而且似乎对这种三口之家的安排完全处之泰然。甚至一些较大的公鸡都会欢迎个头小的对手共处一室。考虑到有对手同居的公鸡平均只有 4.8 个孩子（9.6 个孩子的一半），为什么它不赶走另一只公鸡以便生下属于自己的 6.6 个孩子呢？

兄弟之爱就是答案，共享婚房的公鸡通常都是兄弟。由于它们的基因来自共同的父母，所以它们的基因有一半相同。因此，共享婚房的公鸡能拥有属于自己的 4.8 只小鸡，加上从自己兄弟一半的孩子那里得到的“基因贷款”，一共是 7.2 只小鸡。于是，母鸡的剥削一下子就显得不那么糟了，这不过是弟兄们互相照料的一种巧妙方式。

在少数人类社会中，女人也同时拥有一个以上的丈夫。就像塔斯马尼亚母鸡一样，只有在丈夫们互为兄弟的情况下，这种婚姻才能存在。兄弟中的一个必须经常出远门去卖收获的庄稼。自然，这种婚姻安排在此期间状态最好。如果两个男人都待在家里，他们就会争着和妻子做爱，尽管紧密的基因纽带会从某种程度上减轻两人的紧张关系。

在鹰的袭击下，松鼠家庭面临的另一种紧张关系会有所加剧。幸运的是，这些灵巧的小家伙具备有效的邻里看护程序。当发现地平线上出现的捕食者时，它们会拼命尖叫，并告诉每个人快躲起来。叫声会引起造访者的注意，所以发出警报的松鼠更有可能被吃掉。捕食者出现 10 次，就有一次会吃掉松鼠，而被吃掉的松鼠中有一半是发出警报的大嘴巴。

谁会为了发出威胁警告而甘愿去冒被敌人发现的风险呢？为什么不把声音放小一点来保命？90% 以上的警报是雌性松鼠发出的，但这并非仅仅出于心地善良的缘故，还关系到家庭价值观。

雌性松鼠长大后不会离家太远，但是雄性则会远走高飞，而且每年都换一个地方。结果，雄性从来不住在父母或兄弟姐妹的附近，而且作为流浪者，这些独来独往的松鼠也很少和子女住在一块儿。由于没有任何亲戚需要保护，所以就几乎没有任何基因上的缘由让它们去伸出脖子冒险发出警报。

而雌性松鼠周围都是自己大家庭的成员，因此它们有的是理由冒险。它们基因的精明程度还前进了一步，几乎让人觉得它们在脑子里有一个亲属名单似的。周围的亲戚越多，它就越有可能发出“我们是一家人”的警报。

从基因的视角来看，甚至像死亡这样的小麻烦都不足以妨碍你照顾亲戚。人们写遗嘱的时候，会把大部分钱财留给亲属。如果一个人没写遗嘱就去世了，政府倾向于按照一种反映基因利益的方式把其财产分配掉。

亲戚关系不仅限于规定金钱的流向。1997 年，有 4 000 多个活着的美国人进行了肾捐献，其中只有一人把肾捐给了一个与她毫无瓜葛的人。她的行为是如此罕见，以至于媒体对她的行为大加报道，人们在公共场所见了她之后甚至还会停下来祝贺她。每一年都会有 2 000 个美国人因缺肾而死，而任何一个有两个肾的人都可以救活一个生命，但实际上几乎没有一个人愿意为非亲非故的人做出此种牺牲。

动物也会特意照顾大家庭的最大利益。例如，辛勤的小蜜蜂的蜂房就像是54俱乐部[①]，蜜蜂们拥挤着，要从大块头蜜蜂保镖那里获得允许才可以进去。然而要通过柔软的围绳，靠的不是魅力，也不是奇装异服。这个场景更像是家庭聚会，而不是别的什么聚会。因为守门的蜜蜂只让亲戚进去，却把其他蜜蜂拒之门外，而且辨认得出奇准确。

{ 无论是蝌蚪还是辛勤的蜜蜂，都是靠嗅觉来判断基因上的相似性的。}

蝌蚪们也有类似的唯亲主义，它们喜欢和兄弟姐妹们一起“受训”，甚至那些出生前被分开并被倒进一个大池塘里的蝌蚪也会追寻到自己的兄弟和姐妹，而且绝大部分都和它们待在一起。

动物们怎样才能认出彼此呢？无论是蝌蚪还是辛勤的蜜蜂，都是靠嗅觉来判断基因上的相似性的。如果它闻起来像自家人，那就铺开红地毯来迎接宾客。人类在辨别亲属方面就不这么擅长了。拿杰伊来说吧，每个感恩节他母亲都会打电话提醒他：“对杰弗里、塔米、朱莉和卡伦要好一点，他们是你的表兄妹。”

## 血浓于水

此处有一个矛盾：如果我们那么爱自己的家人，为什么还有那么多的家庭暴力呢？本书提供的视角可以帮助澄清这种看似明显的矛盾。

① 54俱乐部（Studio 54），犹太人斯蒂夫·鲁贝尔于1977年开办的一家夜总会，不分社会地位和种族的各色人物都可以来这里狂欢，形成了西方最早的夜店文化。——编者注

美国的谋杀案有大约1/4发生在家庭内，如丈夫杀死妻子，妻子杀死丈夫（或许令人惊讶的是，大约30%遇害的配偶是男性）。另外，男人也会杀死继子。

发现这里的模式了吧？在绝大多数家庭谋杀案中，受害者和凶手没有什么共同的基因。有一项研究调查了1972年发生在底特律的所有家庭谋杀案，一共98起。其中76个受害者和凶手没有共同的基因，另外22个被害人据记载是孩子、父母或“其他亲属”，这其中包括一些继父。

对包括13世纪的英国和现代加拿大在内的许多社会进行的研究也发现，血亲谋杀案的比例很低。但是，要是两个人合伙谋杀某人的话，罪犯倒经常是血亲。

在雅诺马马人的社会中，我们也进一步确认了血浓于水的事实。随着村子人口的增加，摩擦也多了，人们的脾气也大了。最终这些人就会散伙，各走各的路。那么谁和谁会走到一起呢？

这就是复杂之处。要说出谁和谁会走在一起并不容易，因为雅诺马马人有一个很大的“虚构亲属”网。在这一体系中，人们喜欢用亲属称谓称呼别人，就像许多美国孩子会称呼他们家的一位朋友为“叔叔”，或者妇女联谊会的成员会称姐道妹一样。然而，村子分裂的方式密切反映了人们基因上的真正联系。我们一眼就能够区分出谁是真正的兄弟，谁又是虚构的兄弟。

虐待儿童也反映了类似的模式，清楚地揭示了诸如“灰姑娘”之类的故事是如何产生的。研究者调查了1976年共计87 789起发生在全美的虐童案后发现，比起亲生父母来，继父母杀死孩子的可能性要高出100倍。

## 我们可以像对待家人一样对待其他人吗?

我们人类就像其他动物一样,天生就对亲戚特别好。社会思想家曾勾画出这样的理想世界:人们对待其他人就像对待自己的家人一样。柏拉图通常被称作“敏锐的人类观察家”,他认为在一个理想的国度里,统治者不应该拥有任何私有财产。直到今天,乌托邦的梦想还依然存在。我们可以对陌生人也一样好吗?

俄勒冈州的波特兰市曾经购买了800辆自行车作为公用设施。当局者辩称,比起上千辆私家自行车躺在车库里闲置,这种解决方案会非常有效。然而,这支“舰队”很快就变成了一堆没人管的破烂。还有人看见有些明黄色的公共自行车被人装进了其他州牌照的小货车里。

我们的问题远不只偷自行车这么简单。1998年,每177个美国人中就有一起暴力犯罪:谋杀、强奸、抢劫或恶性攻击,而每25人中就有一起财产犯罪案。你也许认识其中的几个受害者,而每过几年你没准儿就成了其中的一个受害者。幸运的是,美国联邦调查局没有追查人们撒谎或发生自私行为的频率,这对于美国民众的民族士气倒是不会产生什么影响。

虽然事实令人不快,但我们还是希望人类能够变得大公无私。对这个关于人类组织行为问题的答案是明确的,但我们还得看一下一些不寻常的方面。

有则寓言描述了人体各器官的“领导权之争”。基于视觉对人的重要性,眼睛要求获得领导地位。“要是没有我的新陈代谢,大家会在哪里呢?”肝脏表示反对,同时它还提醒大家说,酒精也是它处理的。

而大脑则有点傲慢地要求获得最大影响力，因为它具有优越的智商。同时，肠子开始罢工了，它拒绝处理废物。随着毒素越积越多，肝脏窒息了，眼睛流泪了，而大脑也晕头转向了。于是，肠子成了国王。

我们身体的内部运转系统是一个没有冲突的地方。肠子国王的寓言之所以幽默，恰恰在于它是虚构的。因为人的眼睛、肝脏、大脑和肠子为了整个身体的正常运转而都在无私地工作着。怀着一种共产主义理想，我们免疫系统的细胞在没有战斗勋章和爱国主义演说的鼓动下就投入到与来犯病毒进行的生死斗争中了。

为什么肝脏不罢工以取得更多好处呢？从肝脏的基因角度想一想吧。如果肝脏从体内其他部分那里得到了多余的能量，它又得到了什么呢？是不是就不用工作那么长时间了？不是的。肝脏基因有一条且只有一条通向成功的道路，那就是帮助身体做爱和生孩子，因为精子和卵子中的基因和肝脏中的基因都来自同一个地方。身体各部的基因通过合作可以最大限度地促进自身利益。

除了我们的身体，还有许多社会里的个体都是为了大家的利益而工作。不幸的是，这些社会中的每一个个体都有 6 条腿。蚂蚁和蜜蜂是完美的共产主义者，它们都把群体的需要放在首位。警察不必在蚁巢和蜂房巡逻，部长们也不必使用火和硫黄让人们保持秩序，它们的社会就像非常协调的机器。

掀起一个蜂房，你就能体会到蜜蜂的利他主义精神。蜜蜂会为了促进蜂群的利益而乐于做出最大的牺牲。在把刺深深插入人体的皮肤后，蜜蜂会由于腹部撕裂而死去。为什么这些自杀的蜜蜂的基因对自己的未来考虑如此之少呢？

单个的工蜂不能生育，只有在蜂王妈妈生出更多孩子的情况下，它们所携带的基因才会赢得达尔文比赛。蜜蜂愿意为帮助蜂王而采取任何行动，包括用极端的自杀性叮刺来保护蜂房不受找蜜吃的入侵者的破坏。一般而言，蜂房就像我们的身体，而蜜蜂就像是免疫系统的细胞。人人为我，我为人人。

有一种活跃于美国中西部的泥蜂看起来就像蜜蜂，但它们不愿意攻击人。它们按照自己的家庭价值观配对、交配和抚育后代。和蜜蜂不同的是，每一只泥蜂都能够生育，所以个体的死亡意味着基因的丧失。蜜蜂的基因是通过英勇的牺牲取胜的，而泥蜂的基因则是通过明智的懦弱来保全的。

让我们回到柏拉图提出的问题：无私的人类乌托邦可以存在下去吗？答案虽然令人失望，但我们还要毫不含糊地说“不”。数百年的乌托邦梦想一直没有变为现实，相关的社会实验都以失败告终。但有点讽刺意味的是，科学家从蜂窝里找到了答案。

蚂蚁群体、蜜蜂蜂房和我们自己身体里的基因利益各行其道，没有发生任何冲突。只有在具有不同基因的实体之间才会发生冲突，而且冲突不可避免。蚂蚁群体内部施行共产主义，但是它们会不断对邻居们发动战争。同样，虽然我们很爱自己的家人，但是如果被逼急了，我们的基因总是会首先奋起捍卫自己的利益。

虽然我们很爱自己的家人，但是如果被逼急了，我们的基因总是会首先奋起捍卫自己的利益。

## 家中也免不了冲突

一个令人失望的事实是：母亲不能像指望自己的肝脏一样指望孩

子给她同样的投入。基于达尔文主义的原因，母亲和孩子会彼此爱着对方，但孩子的基因一般来自父亲，这就必然会在怀孕的母亲和她怀着并深爱的孩子之间打入一个楔子。

具体而言，母亲和胎儿的分歧在于胎儿应该得到多少食物——它是以流经胎盘的血液中所含的营养成分这一形式发放的。虽然母亲深爱着孩子，但她还是会在某个时候想停止摄入葡萄糖及其他给予体内胎儿的美味。她为什么想留着一些美味呢？因为如果她为未来的胎儿储存一部分的话，基因就会得到好处。因此在做未来储备的时候，母亲会在自己——特别是未来孩子——的需要和胎儿的需要之间做出平衡。

现在从胎儿的角度考虑一下。基因的算计是不同的，未来的兄弟姐妹们会带有胎儿的一部分基因。所以，胎儿对为他们的利益而做出的牺牲就不怎么关心了，只是吵着要得到更多食物，但这些食物会超出母亲的基因所认为的理想限度。所以，同胞之间的竞争在怀孕之前就已经开始了！

这种冲突造成了怀孕期间的无声斗争。胎儿会抽空激素，这样会使母亲的血管膨胀，但这样会增加血液中糖的含量，从而又增加了胎儿的食物。于是，母亲通过制造胰岛素进行报复，因此胰岛素会起到完全相反的作用。这样的冲突会使许多母亲患上糖尿病，但孩子出生后就会自然痊愈，而且糖的含量会继续增加，直到母亲体内产生的胰岛素达到了正常水平的 1 000 倍。

母子之间的不协调并没有随着孩子的出生而结束。一项对美国所有在 1983—1991 年出生的孩子的调查发现，有 2 776 个孩子被母亲杀害，而且在调查期间，杀婴率还有所上升。刚开始本书作者讲到母亲为

> 只要基因的利益不能完美协调，冲突就不可避免。

孩子而死，现在却在讨论母亲杀死自己的孩子。这到底是怎么回事？

就像母亲得糖尿病一样，杀婴是因为母子有共同但不完全相同的利益。母亲爱自己的孩子，但她还可以有其他孩子。对母亲来说，并非是孩子就杀，这儿还有一个基因上的考虑在起作用。一项覆盖多种类型社会的对人类杀婴行为的最全面的调查发现，如果母亲不能养活婴儿，她就会杀死他们。

在许多文化中，是否养育孩子完全是母亲的问题，每个人都会尊重她的决定。例如，在昆申人中，女人一般在亲近的女性亲属帮助下生产。如果母亲把婴儿带回人群，那么这个孩子就被当作一个人了。否则，人们就假设那是死胎，而不管真实状况如何。

我们从家庭中学到了什么？基因在促进合作的过程中发挥了中心作用。一个极端例子是，在实行社会主义的集体中，人人都是为促进集体的利益而奋斗。马克思会对蚁群、蜂群，还有我们自己的身体面露微笑，因为“各尽所能，各取所需”的座右铭实现了。

但是，只要基因的利益不能完美协调，冲突就不可避免。乔治·华盛顿总统的告别演说集中讲到了外交政策，他总结说，国家没有永久的朋友，只有永久的利益。我们也面临着类似的境遇，而且，就像我们要看到的那样，所有的人类关系都需要在冲突和合作之间进行持续的外交斡旋。

# 第 10 章　朋友和敌人：靠近朋友，更靠近敌人

## 社会间的冲突是不可避免的吗？

家庭成员之间闹对立的现象比比皆是，但一旦出现外部威胁，大家便迅速搁置分歧，抱成一团。一句古老的格言说："我反对我的兄弟，我和我的兄弟反对我的堂兄弟，我、我的兄弟和我的堂兄弟反对我的族人，我和我的族人反对这个世界。"

民间曾经流传着这样一个故事。一位女神去拜访一位农夫，并答应帮助他实现一个心愿，不过要附加一个奇怪而有趣的条件，即这位农夫在实现其愿望的同时，他的每一位邻居都会得到双倍的待遇。农夫考虑了一会儿说，希望毁掉他的一半庄稼。这个故事提醒我们注意现实生活中令人不快的一面。在这个土地、食物及配偶有限的世界上，一个群体有时只能从其他群体那里夺得自己所需的一些东西。让自己的竞争对手陷于痛苦是件好事，即使这要以你一半的庄稼为代价。

在基因上与我们人类较近的黑猩猩的本能中似乎就有这种资源的短缺感。1974 年 1 月 7 日，简·格德尔在坦桑尼亚观察站的科研人员发现了黑猩猩的一种新的侵犯模式。一个群落的 8 只黑猩猩出其不意地捕杀了邻近群落的一只年轻的成年公猩猩。之后的 3 年中，这群黑猩猩完全消灭了它们的邻居，占领了它们的地盘。科研人员目击了 6 起针对成年黑猩猩，甚至刚刚出生的小猩猩的袭击事件。这种行为令

人震惊，因为就在几年前，这两个群落还是一家子。但分裂成两个群落之后，对抗就开始出现了，最终，弱小的一方被消灭了。

以前我们只知道黑猩猩会保护自己的地盘，所以这是首次有文字记载的关于黑猩猩有组织地侵犯他方地盘且导致另一方灭亡的个案。之后，科研人员多次在其他野生黑猩猩中观察到了类似的“致命袭击”的行为。

所有个案都有一个共同的模式。通常是雄性黑猩猩负责守卫自己的领土，不时地瞅准机会攻击它们的邻居，以扩大自己的地盘。黑猩猩穿过树林时的动作和口里发出的声响一般都很大，但与此相反，它们守卫自己领土和发动进攻时却表现出令人恐惧的安静。

人类也经常表现出类似的领土欲望。为什么一些文化热衷于占领邻国领土而另外一些则喜欢待在自己的家园里？研究一下太平洋国家玻利尼西亚，我们就可以从中找到一些有趣的线索。公元前 1 200 年到公元 1 000 年，那里的许多岛屿上生活着有同样基因和文化背景的人们。但其中有一些人好战，其他人则习惯和平地相处，这是为什么呢？

概括起来是两个字：农业。许多岛屿温度太低，不适合庄稼的生长，居民只能靠狩猎和采集以维持生活。这是获得卡路里的一种相对比较艰难的方式，所以这样的人群人口数量不多，其文化政治结构松散，没有军队武装，且和平的气氛较浓。

> 伴随着高密度人群出现的是各方对有限资源的争夺，而争夺带来的就是冲突。

在他们的南面，是一群生活得相对自在和稳定的人。这些居民所在的岛屿气候较暖，能种植庄稼。他们有着可靠而充足的粮食来源，可以供养更多人口。但是由于人口快速膨胀，他们的地盘很快拥挤起来，于是人们开始变得好战。在这样的文化政治结构中，人们喜好储存大量粮食，苦练军事本领，互相争斗。

这一案例告诉我们一个很明确的道理：伴随着高密度人群出现的是各方对有限资源的争夺，而争夺带来的就是冲突。我们发现，在众多文化结构中存在一个相似的模式，例如，在卡拉哈里沙漠生活的昆申人的人口密度小，而且有着和玻利尼西亚的游牧人一样的和平组织。

如此说来，人类天生就好战吗？其实未必。长期以来，我们的确有着扩张领土的欲望，并有着群体之间互相侵犯的漫长历史。这种侵犯的冲动大概起源于我们那些和黑猩猩相仿的祖先。但是只有在一定的竞争环境中，冲突才会以战争的形式表现出来。不幸的是，人类的天性倾向于培育这种竞争环境。譬如，我们很容易形成某种群体归属感。

在心理学的一项实验中，参与者们很快就建立起了集体认同。他们被随机分成两个小组——“蓝组”和“红组”。他们在各自小组里交谈数分钟，然后开始玩合作性很强的游戏，获胜方得现金奖励。尽管分组是随机的，赢得的钱也不在自己组里分，但是红组成员对组里其他成员要好些，蓝组成员也对自己组里其他成员要好些。

我们的归属感可以在实验室外持续多年。特里的朋友保罗独自看电视的时候，突然大吼起来：“该死的帕斯尔！真该死！”比尔·帕斯尔是一位具有传奇色彩的橄榄球教练，当时他刚刚从保罗所在的新英格兰爱国者队转到其对手纽约喷气机队。向来温和的保罗在看到自己的球队和喷气机队交手时，突然变得狂躁不安。保罗看到“叛变”的帕斯尔大摇大摆地站在对手一方后，不禁敌意大增。

对于释放我们的侵犯本能、求胜欲和击败对手的内在冲动，职业运动会是一种相对无害的方式。在各式各样的竞技环境中，胜利的运动员比失败的对手能产生更多的睾丸激素。例如，在摔跤比赛中，参赛选手将对方摔倒在地后会因心理作用而红光满面。

有研究表明，体育迷们在欢庆胜利的时候，生理上也会发生变化，胜利一方的支持者的睾丸激素水平要比失败一方的支持者的高。我们看运动会时感受到强烈的冲动，是因为我们自身的激素也在发生变化。看到爱国者队击败纽约喷气机队时的欢欣鼓舞会带来一种获胜感，这种获胜感如同一场战斗之后发现自己没有伤亡一样让人刻骨铭心。

每当罗马军队凯旋时，都会举行一些奇特的仪式。运动会上的一方获胜后，也会出现类似的情形。某国家队赢了世界杯足球赛之后，举国上下都会为之疯狂。美国费城费城人队于 1980 年在世界棒球大赛中夺冠之后，这个拥有 170 万人口的城市中有 50 万人参加了胜利大游行。这一比例可能比参加纪念“二战”结束的大型庆祝活动的人数比例还大。

人类根据外表特征区分或随机组合（比如，红队、蓝队，爱国者队、喷气机队）会形成各自不同的团体，那么根据种族划分呢？

## 种族和生理差异

我们不到一秒钟就可以辨认出某个人的种族（以及其他的显著特征，如性别、体形和年龄）。但是，由于历史上发生过数不清的种族悲剧和种族压迫，许多人在讨论种族问题，哪怕仅仅是提及种族的时候，都会感到难以启齿。

有这么一个有意思的现象：在电视转播的拳击赛中，当选手来自不同种族的时候，评论员会说：“刘易斯，身着红色短裤的那位，正对穿蓝色短裤的琼斯步步紧逼。”观众们必须不时地提醒自己那个黑人穿的是蓝短裤，那个白人穿的是红短裤。

几年前，特里在肯尼亚旅行时注意到了一些有趣的现象。每当他的小旅游团在路边停下来的时候，肯尼亚的导游总会立即问路过的非洲人：“你是哪个部族的？”肯尼亚有 12 个以上的不同部族。由于历史原因，一个部族的成员很容易因他们的传统服装、居住地及身体上的饰品被其他人辨认出来。

但在如今的肯尼亚，许多明显的部族标志已经消失，占相当大比例的人都穿着西方服装。现在许多部族居民都穿着 T 恤衫和蓝色牛仔裤，看起来非常相似，所以彼此之间难以辨识。尽管如此，部族归属感仍是肯尼亚人交往的一种核心特征。

现在，当两个美国人相遇时，礼仪性的问候基本相似，其中一个会问及对方是哪个大学毕业的，这样就能使“忠诚”立刻赤裸裸地摆到面前。不要指望密歇根大学的“狼”会热情拥抱来自加利福尼亚大学洛杉矶分校的“熊”[①]。

我们内在的“物以类聚”的冲动也延伸到了一些细微之处，人们总是特别注意服装、口音等其他方面的细微差别。杰伊上四年级的时候，他的妈妈总是无意中给他买有 4 个条纹的跑鞋，这使他感到很没面子。这是彻头彻尾的社交灾难，因为所有要“酷”的孩子都穿着品牌是 3 个条纹的阿迪达斯，而杰伊只能靠小心翼翼地剪去一个条纹来

① 这里的“狼”和“熊”分别指代密歇根和洛杉矶的本地人或居民。——译者注

挽回自己的面子。

如果我们能迅速辨别出欧洲牛仔服与美国牛仔服的区别，那么我们注意到种族的存在就不足为奇。实际上，心理研究表明，人们在瞬间就可以无意识地辨别出种族差异。例如，在一系列实验中，屏幕上一闪而过的种族信息就改变了研究对象的反应时间。

电视剧《家庭琐事录》（*All in the Family*）里的男主角阿奇·邦克是位典型的白人种族主义者。尽管这部电视剧是喜剧，但它的主题之一就是深入探讨问题重重的美国种族关系。剧中有一个情节是，阿奇拒绝献血，缘由是他害怕自己的血液会进入其他种族人的身体。阿奇只注意到了外表上的区别，而没有看到内在的且非常重要的相似性。

黑人和白人在基因上有区别吗？答案明显是肯定的：黑色皮肤的基因不同于白色皮肤的基因。此外，一些遗传疾病的流传也因种族而异。比如，德系犹太人[①]比其他人种更容易得遗传病泰萨二氏病。与此类似，非洲人和东南亚人患镰状细胞贫血症相对普遍些，因为致病基因同时也增强了他们对当地流行的疟疾的抵抗力。

但是，伴随着这种分析的深入，我们对种族的简单归类就会消失。基因产生抗体抵制疟疾，带来的是患上镰状细胞贫血症的高风险，这种现象也存在于地中海南部和欧洲的非洲裔人身上。

这两个地区的居民都被疟疾感染的蚊子咬过，所以都形成了同样的基因防御体系。另一方面，在非洲大陆最南端生活的非洲人和日本人一样，得镰状细胞贫血症的概率非常低，因为在他们的居住地，疟

① 德系犹太人（Ashkenazi Jews），欧洲犹太人的一支，历史上定居于中欧与北欧讲意第绪语的人。——译者注

疾病的发病率也极低。从这个特征来看，南部非洲人与日本人的相似程度要超过其与北部非洲人的相似程度。

白人和黑人在一些基因上是有点不同，但由此得出这些基因显著不同的结论不但容易产生误导而且非常危险。

从基因的角度来探讨种族本身就有许多问题。首先，我们如何才能断定谁是白人，谁是黑人（或者谁是巴斯克人）？走在美国大街上，这一点可能一目了然，但如果从热带非洲穿过埃及、进入中东，你就很难分辨出人们的种族界限了。

种族的作用大致类似于人的遗传特征之一——身高。在一些极端情况下，我们可以轻易判断人们的高矮。但是 1.75 米的男人算高还是算矮呢？1.77 米的又如何？在这个世界上，人们高矮不一，各种身高的人都有，所以把谁划为高、谁划为矮，就有了很大的随意性。两个人的身高类似意味着两人的基因也有类似之处。

尽管如此，种族之间还是有一些区别的——至少在肤色和毛发颜色上，并且我们的本能也注意到了这些区别。但是，一个人有 10 万多个基因，就绝大多数基因而言，地球上的人都具有同一性。人们虽然肤色不同，但可以互换血液和器官，这足以说明人们之间这种巨大的类似性。

我们利用先进的 DNA 技术研究基因变异，发现人类种族之间只有细微差别。我们身上有 1/4 的基因存在某种变异，但没有证据能说明这种变异是如何分配到每个人身上去的。非洲人在血型上有很大差异：一些人是 O 型，一些人是 AB 型，还有一些人是 A 型和 B 型，但亚洲人、土耳其人、俄罗斯人及西班牙人也有着这些血型上的差异。

除了诸如肤色等可见的特征，欧洲人还在一些天生的蛋白质上存在巨大的差异，这些蛋白质的名字很拗口，如 6– 磷酸葡萄糖酸脱氢酶和腺苷酸激酶。有些欧洲人体内会产生大量这种化合物，但是其他人的体内几乎一点儿也没有。不过，因纽特人和纳瓦霍人的情况也是如此。

如果小行星撞上地球，把在非洲以外生活的人都毁灭了，那么人类多样化的基因中有 93% 还会保存下来。一般而言，我们的皮肤会变得稍微深一些，但是现在拥有的大部分基因会同样存在。简单来说，在人类中间，种族对理解一个人具有什么基因没有多少帮助。

人类中没有哪个种族是与其他种族完全隔离的，所以各族群之间的基因差异并没有像大猩猩之间的差异那么巨大。

这就与我们的一些近亲中存在的种族差异形成了鲜明的对比。与其他类人猿相比，人类倒是一个不寻常的同质群体。例如，低地大猩猩由于数百万年以来几乎完全没有迁移和杂交，它们和生活在高山薄雾中的黛安·福西[①] 大猩猩就非常不同。

和大猩猩不同的是，任何两个人，即使是两个肤色很不同的人，在基因上的相似性都比低地大猩猩和山林大猩猩之间的相似性显著得多。人类中没有哪个种族是与其他种族完全隔离的，所以各族群之间的基因差异并没有像大猩猩之间的差异那么巨大。而且，随着人类在全球的活动范围的扩大，以及族群之间的频繁通婚，种族之间现存的基因差异还有可能进一步减小。

---

① 黛安·福西（Dian Fossey），美国动物学家、植物学家，致力于保护卢旺达的深山猩猩，著有《迷雾森林 18 年》，后来为了保护大猩猩，遭到当地偷猎者的残忍杀害。这种深山猩猩以她的名字命名。——译者注

说到种族差异的时候，我们关心的是族群之间的基因差异。而我们还有另一个测度，就是估计族群内部总体的基因多样性。相对于其他类人猿来说，个体的人与人之间在此也显示出基因上显著的相似性。实际上，曾有一项研究发现，在一个社区中的 55 只黑猩猩身上的基因比所有 60 亿人类身上的基因更为多样。

我们不得不应对由各种特征构成的一个奇特组合，这是个麻烦事儿。人类各群体之间的冲突有着很长的历史，我们倾向于结党营私，甚至仅仅根据任意划定的“红队”和“蓝队”来互相区分，而且我们表面的差别是一目了然的。但是在深层次上，我们其实都没有太大的区别。所以，种族虽然不是我们幻想出来的虚构之物，但它在很大程度上是我们的知觉所构想出来的。

## 仇敌有时也合作

在人类的冲突过程中，我们会一次次地发现合作的悄然发生。甚至在第一次世界大战血腥的战场上，战壕两侧遥遥相望的团队也会在没有正式协议和口头交易的条件下，出乎意料地自发达成小小的休战协定。对立双方是怎样找到共同点的呢？

这种合作总是充满着危险，而和平协定也会定期转化为战斗，但和平还是一次次地出现了。通过分析双方的报告，研究者确认了一些使和平成为可能的关键条件。首先，一方必须摆出姿态。在杀戮中间也得有休息的时候。例如，交战一方可能在战壕里故意把炮火引向对方空无一人的阵地。或者，一方也可以在固定的时间开火。例如，进攻的英军每天下午 1 点准时开始当天的炮火袭击。几天之后，德军就会在中午 12 点 45 分之前，在他们的战壕之外懒洋洋地躺着休息，尽享和煦阳光。而当英军的炮弹在他们的周围爆炸的时候，他们已经钻入深深的地堡，一切安然无恙。

另外一个维持停战状态的条件是对任何越轨行为予以有限的惩罚。如果一方破坏这些非正式的规则，并且确实试图消灭部分士兵，或者在约定的时间之前以密集火力发动进攻，那么另一方应该采取报复措施。

有的军队甚至将其整理成一个经验法则：绝不开第一枪，但是一旦遭到攻击，则以双倍火力还击。这种以二还一的惩罚原则的内在理念就是：还击之后，才有真正的宽恕。惩罚使双方扯平了，并让双方有机会退回到早先的停战约定中。

在战壕中合作的最后一个必要条件是认清对方的每个个体，并与之建立联系。合作是要花时间的，而只有在冒犯者受到惩罚的情况下，对惩罚的恐惧才能成功地发挥威慑作用。

## 理解冲突可以改善我们的关系

战时的合作与我们在更加和平的环境中的生活有关联吗？绝对有关联。和平时期保持友好关系的关键和在战争期间一模一样。虽然人们可能都在梦想着无条件的友谊，但是我们就像那些部队一样是受到自我利益驱动的。

其他一些动物也学会了出于类似自私的理由进行的合作。以吸血蝙蝠为例，正如其名，它们以从动物（虽然很少针对人类）身上吸血为生。这些会飞的寄生动物进行合作的方式是共享食物。如果一只蝙蝠狩猎不成功，肚子空空地回来，它就会请求住在一起的同伴反刍一些东西给它吃，而这种请求也使它们经常能得到食物。

交换血液的意义重大。蝙蝠从来都生活在饥饿的边缘，两夜没东西吃就会饿死。所以，每只蝙蝠都可以从这个体制中得到好处：在好日子里把多余的血交给同伴，换来不幸时候的饥饿保险。

其他多数动物也都会进行类似的互惠交换。在阴霾密布的日子，我从你这儿借点东西，同时承诺在我时来运转的时候再偿还。如果接收方因每件礼物得到的好处大于捐赠人所付出的代价，那么我们就都会这么做。出于这个原因，我们可以预料，所有的动物在这样一个意义上都是利他主义者——一种自私的观念：我日子好过的时候给你，而在困难的时候就可能得到相应的回报。

但令人奇怪的是，我们发现，在动物王国中能给非亲非故的伙伴以友好帮助的现象并不多见，吸血蝙蝠几乎是独一无二的。许多动物还有其他合作方式，但是它们之间不会保持长期的交换。例如，共同防御领土是一种合作行为，但是这种合作能给双方带来即时的好处。

所以，在非亲属之间互相给予好处的现象是罕见的。部分原因在于，包括我们的近亲猩猩在内的许多动物，对除配偶和子女之外的其他同类一般都怀有敌意。但是人类却非常合群，我们喜欢和别人一起，不论分享的是瞪羚肉、寿司，还是饮水机。

和多数动物不同的是，我们很容易就可以形成需要在未来进行补偿的合作安排。想象一下，假如你有一天上班时忘了带钱包要借钱买午饭，这会很难吗？对每个人来说，得到帮助都不难，因为我们会还钱的。存在于非家庭成员的个体之间的这种借贷关系却很难在人类以外的动物中看到，为什么人类可以如此成功地进行合作呢?

简而言之，我们具备了一切条件来避免上当受骗。合作之所以罕见在于它的危险性。处于劣势地位肯定会导致灭亡，根本不合作反而可能会更好。为了阐明我们天生的能力，请回答下列问题：你的哪一位朋友在饭店吃了晚饭结账时会比较小气？参加你婚礼的客人中有没有忘记送礼物的？你有没有送给谁节日卡片而他们没有礼尚往来?

我们也许会声称自己不会那么气量狭小，但还是诚实些吧：你能不能回答这些问题，指出那些小气鬼朋友？为了避免受到剥削，我们的脑子里都有一笔详细的账，记着我们欠谁的、收到什么东西，而又给了别人什么东西。最后，我们必然会和不懂礼尚往来的人断绝关系。

人类有一种本能，促使他和一个不相干的石器时代的邻居分享食物，借钱给一个 20 世纪的邻居，或者只是送朋友到机场，这似乎是令人振奋的利他主义，非也。就像我们把钱存到银行来应对困乏之日（或者为度过缺粮的日子而在大腿上储存脂肪）一样，在邻居身上储存善意可以使我们在遇到世界上的不确定性时得到喘息之机。

善意与合作只不过是自私自利的微妙形式。这样说是在挖苦人吧？也许。不过就像我们看到的那样，人类的大脑生来就会对合作关系进行计较。想象会有这样两种不同类型的善意，第一种是神话故事，人们给予只是为了使别人快乐。他们把钱放在匿名的募捐箱里，毫不关心能否得到回报。

第二种是自私的版本。人们会记账，偏离规则就会被点名处罚。无疑，现代人类的行为是二者兼而有之。但是让我们检查一下我们都拥有的一个机制——它保证我们的“利他”行为最终都能给我们带来好处。

加勒比海里的黑纹石斑鱼的合作问题很有趣。因为每条鱼都有雌雄两种性器官，所以要生孩子就得找到愿意扮演另一性别的伴侣。关键在于，相比精子而言，卵子大且耗费更多，所以一对鱼中的每一方都想扮演雄性的角色。

产卵的鱼是要承担风险的，因为排放精子的鱼获得了 50% 的基因收益，而为生孩子必须花费的能量还不到 50%。唯一公平的解决方式（和我们在自然界中见到的其他交换一样）是角色互换：“林赛”产卵，由“雅明”受精；而下一次则由“雅明”产卵。如果“雅明”不愿以产卵作为回报，那么“林赛”就会离去。

人类对于公平也有类似的偏好。在实验过程中，人们愿意为“最后通牒”游戏中公平结果的强制实施而付出代价。在游戏中，两个人争夺一笔钱。如果一个人建议把钱分了，那么另一个人只有两个选择：接受或拒绝。第一个提议是最后通牒，因为它是不可更改的，要不就像提议的那样把钱分掉，或者干脆销毁。

我们假设那笔钱是 100 美元，而一方所提建议是 90 美元对 10 美元。分钱少的人也有两个选择。一个是接受 10 美元，看着另一个人拿着 90 美元扬长而去；或者是拒绝拿 10 美元，而这种情况下谁都拿不到一分钱。如果用真钱玩这个游戏，而且钱的数目经常还很大，你猜结果会怎样呢？

> 于是，独行者死掉了，留下的是那些能够和他人顺利合作的人。

为了找到问题的答案，你可以想象一下这块“馅饼”不是钱，而是通过合作而得到的进化方面的好处。以人为例，也许我们的一个祖先可以单独打猎，而且能捕猎到少量的食物，但如果大家合作的话则可以捕猎到充满卡路里的大型野兽。就像共享食物的吸血蝙蝠一样，合作的人比独行者繁殖得更快。因此，这一事实成了人类喜好交际的基础。

根据考古沉积物可知，我们以捕猎和采集为生的祖先们生活的群体最多只有几百人。他们的成功依靠的是通过共同努力来对付捕猎者和猎物，而且他们由此得到的回报很不错。如果单独狩猎，或者睡在营地之外，则意味着死亡。于是，独行者死掉了，留下的是那些能够和他人顺利合作的人。

虽然相对于独行者而言，合作者具有进化上的优势，但是如果他们总是在合作中处于劣势的话，也是要冒风险的。如果一位高明的猎手总是为其他人把所有的工作都做了，那么他最终会在进化竞赛中输给狡猾的伙伴。黑纹石斑鱼知道如何避免遭受剥削，人也会。

回到“最后通牒”游戏中来，如果你的伙伴要拿 90 美元的话，你愿意接受那 10 美元吗？如果你拿的是 1 美元，而对方拿 99 美元，又如何呢？用真钱玩这些游戏的实验对象一般都会把分得不公平的馅饼粉碎。如果不公平，那就谁也别想要。即使这笔钱的数目增加到相当于在贫穷国家数个月薪水的水平，人们还是要求公平。白给的钱都不要，这不是纯粹的精神失常吗？

或许是吧。但是，我们多数人都感到必须得惩罚厚颜无耻的自私行为，即使必须放弃白送的钱也在所不惜。如果把销毁的钱看作是未来的预付订金，那么这种行为就不会显得不理性了。如果拒绝别人吝啬的提议，那么在以后的冒险中就更可能得到公平对待。

几年前，本书作者的好朋友帕特里夏做出了一个令人难以置信的慷慨之举。她知道朋友凯瑟琳过得很拮据，于是就借了 1 万美元给她。凯瑟琳高兴得不得了。帕特里夏需要什么形式的合同吗？不，她回答说："我相信你。"结果呢？这个礼物毁灭了她们的友谊。虽然凯瑟琳现在嫁给了一个百万富翁，但她也没有把钱还给帕特里夏。毫不奇怪，俩人从此再也不说话了。

我们的关系建立在自私的基础上，所以太贵重的礼物会破坏友谊的平衡，而本能会使我们不断地衡量维持友谊的所得与所失。对凯瑟琳而言，继续和帕特里夏的友谊不值 1 万美元。

有道德的人遵守自己的承诺，即使这样不会带来回报。人类有一个特点，就是能够制服那些经常把我们导向自私行为的冲动。但是，也没有理由让人因食言而得到好处。只要凯瑟琳简简单单地写一个欠条，这在法庭上就能作为证据。如果帕特里夏一开始就让凯瑟琳给她写欠条，她们两个现在可能还会是朋友。

要保持有效的关系，关键之一在于保持利益的均衡。如果一个人欠债太多，他就可能结束这段关系以摆脱债务。黑纹石斑鱼在求爱的时候互换角色，以获得平衡的合作结果，而没有哪条鱼能欠人家一窝以上的卵子。

在一些鸟类中，雄性建一个大窝，而雌鸟则以产卵作为回报，然后它们共同抚养后代。研究表明，雄鸟和雌鸟确实有时会遗弃对方。而且正如所料，根据它们的投资可以预测其遗弃的时机。所以，雄鸟在从筑巢到交配这短短的时间内绝不离弃雌鸟，而在受精后到育雏前这段时间它们则会离开。

花旗集团和其他大银行如果在 20 世纪 70 年代向拉美贷款前吸取这个教训的话，它们就可以减少很多损失。精明的债务人总会算计偿还债务和违约的代价孰轻孰重。在拉美的例子当中，有这样一种情况，即对一些政府来说，破坏和美国领导人的关系比还钱给美国代价更小。

结果，多数拉美国家选择延期偿还债务或违约不还，最终给这些银行造成了数十亿美元的损失。

不平衡会使关系遭到破坏，对贸易伙伴来说，最大的风险总是在某人刚刚进行了一大笔投资而双方要交换角色的时候来临。

## 合作是件微妙的事

就像我们看到的一样，合作是件微妙的事。然而，要保持友好的关系，需要的还不只是平衡。想想看，黑猩猩为了追求首领地位，甚至在“朋友”之间都经常互相较量体力。在这样的较量中，甚至极其微小的疾病都不可能掩饰得了，而虚弱的首领往往会被曝光并失去王位。

同样，合作交易中的一方有时可能会偏离预料中的良好行为，但是这种偏离也试探了另一方的力量。或许矛盾之处在于，此种情况下，要维持关系是需要惩罚的。

在电影《教父》中，当教父柯里昂差点被暗杀的时候，柯里昂家族和其他家族的关系到达了沸点。要恢复和平，就得进行报复，只有在柯里昂家族无情地杀死仇敌之子之后才可能达成和解。合作是建立在相互的实力之上的，如果柯里昂不实施惩罚就伸出友谊之手，那么它很可能会被子弹击中而非受到对手的欢迎。

惩罚的天性要求人们要有责任感。错误必须纠正，而打击有罪的一方是很重要的。幸运的是，有一些系统可以帮助我们做这些事。例如，你善于记住人的脸吗？名字呢？几乎对每个人来说，脸容易记而名字不好记住，因为人脑中有很大一块区域是用来识别人脸的。

大脑的这一区域如果长了瘤，人们就会得脸盲症。他们就会谁都不认识，包括他们的配偶甚至自己的照片。大脑正常运行的人则可以很容易记住人的面孔，而且对记录我们帮助过的人和欺骗过我们的人都特别有用。吸血蝙蝠也可以记住将近100个不同的同类，必要时还会对其加以惩罚。

为什么记住人脸这么重要呢？进化过程要我们解决那些历史上经常出现的问题。在一个只有少数圣人四处施惠，而骗子却很常见的世界里，记住人脸（特别是那些可能骗过我们的人的脸）一直是很重要的能力。结果，人类就有了一个辨识骗子的很协调的本能系统。

回忆一下战时战壕合作的最后一个特征。那些部队需要一个成为朋友以便在未来进行互动的前提，而我们在生活中也发现了同样的主题。

你有没有碰到这样的事：你告诉老板说要辞职，结果发现他马上变得面若冰霜？本来似乎友好的关系一下子变味了，让你懊悔怎么不拿了最后的工资，然后过几小时走人？友谊除了要靠人格维持，还经常依赖于在未来彼此给予好处的前景。由于意料之中的友好关系缩短，合作也会减少。

因此，合作需要的是关心、培育，以及未来。在我们祖先的那个严酷而充满不确定性的世界里，有这种关系的人具有实实在在的优势。那么毫不奇怪，现代人也能从互惠关系中感受到深深的乐趣，甚至会形成一些明显愚蠢的习俗。

在电影《宝石岭》(*The Treasure of the Sierra Madre*) 中，汉弗莱·博加特是不幸的矿工中的一员，这些人返回镇上为一个受伤的人治疗。他们遇到了一些当地人，在商量医疗帮助之前，这两群人交换了礼物。博加特注意到一个奇怪的现象："我们把我们的烟草给了他们，他们又把他们的烟草给了我们。我不明白这是怎么回事。”人类的合作是如此维系于彼此的交易的，以至于那些显然没有任何意义的礼物和表示善意的微小姿态都能在建立关系中发挥重要作用。

> 在我们的友谊、礼物和合作冒险之中都存在自私的基础。

东南非洲有一种体形小于狒狒的黑长尾猴会通过在战斗中结盟的形式进行有限的合作。和人们互换烟草一样，它们维持同盟的形式是互相梳理毛发。这种梳理有时包括清除寄生虫，但绝大部分时候则对健康没有任何影响。然而，通过这种梳理，享受服务的小猴就更有可能在以后危险的战斗中帮助给它梳毛的猴子。

一些太平洋岛屿上的居民还参加“库拉圈”（Kula Ring）。这些岛上的居民形成了好战的小群体，并与特定的邻居团体互换礼物。就像东南非洲的小猴一样，从交换礼物我们可以预测他们会在未来的战争中结成同盟。

你可以把这些联盟解释为仅是对交易伙伴的保护，即使这种交易名曰礼物交换。“库拉圈”的有趣之处在于那些礼物——从一个群体流向另一个群体而从未有人戴过的项链，毫无用处。而你也会奇怪，为什么保险代理人每年都会送你一张生日卡片？

总之，这些奇闻趣事揭示了在我们的友谊、礼物和合作冒险之中都存在自私的基础。大脑是极为昂贵的器官，虽然只占体重的 2%，却消耗掉我们 20% 的能量。这块宝贵的地盘大部分都用在记录礼物流动、储存面孔和识别骗子上面了。

我们会提前对人与人之间的关系的持久性做出评估，因而对与我们拥有美好未来的人更好一些。为了保持并获取别人的尊重，我们会惩罚敌人，以及那些偏离友好行为的我们所爱的人。

## 为什么我们爱说闲话？

我们控制与他人关系的自私本能的最有趣表现是喜欢说闲话。在这一点上，人类是独一无二的，因为语言让我们可以迅速共享信息，而且我们喜欢喋喋不休地说话。

请做下列测验：你对朱莉娅·罗伯茨的爱情生活知道多少？她在和谁约会？她和谁结了婚？然后再回答这个问题：你会见到朱莉娅·罗伯茨吗？一些绝不会、也从未遇到过她，甚至从没有看见过她的人都知道她嫁给过莱尔·洛维特，然后离了婚，之后又和一位魅力四射、叫本杰明的演员约会。这样的人多得令人吃惊。

谈论那些有趣的八卦新闻是人类普遍的喜好。即使只有几个人可做谈资，人们谈论的时间也不会减少。昆申人的许多群体都只有十几个人，你或许会认为他们互相谈论得都有些厌倦了。其实正相反，他们每天都会花上几个小时研究和传递此类信息，从来不知疲倦。

说闲话倒是有个作用。我们能和盟友分享有用的信息，像食物来源、商品价格、对手的疾病、做爱的机会等。我们也利用言辞贿赂盟友去对付敌人，传播有害的恶毒故事。所有这些对我们在生存、发展和交配的奋斗中占据优势是非常有帮助的。

但我们对社会信息的热爱已经失去了节制。我们不但贪婪地聊着朱莉娅·罗伯茨和其他绝不会见到的人，而且还谈论虚构的人物。电视肥皂剧都是虚构的故事，里面描述的行为正是主导昆申人围火闲谈的那种类型。“你知不知道吉米和约翰发生关系了，而且还怀了他的孩子？”我们对这类信息是如此喜爱，所以有些杂志的唯一目的就是对这些关于虚构世界的社交数据进行总结。为什么呢？

陌生人和虚构人物的社交信息是我们说闲话本能的垃圾食品。对昆申人和我们的祖先而言，闲聊是有用的。而对我们来说，这些关于个人信息的美味牛轧糖是“虚空的卡路里”——因为我们把时间花在了和我们毫无干系的人身上。

## 送礼是一门艺术

除了说闲话，送礼也是人类社会中长期以来普遍存在的现象。然而，就像埃米莉·波斯特①和一位美国官员在一次对中国的访问中发现的那样：送礼的礼节是非常讲究的。主人把一些食物放在这位官员的盘子里，他就把这些礼物吃了，然后马上拿出自己的食物作为回报，这使得中国人目瞪口呆。

评论家将这种错误解释为根本性的文化差异。他们说，美国式的友谊是同等物的交换，而中国关系中的算计则没那么明显。但是观察家们并没有指出其共性：两种文化中的人都是在送出礼物的同时，另一只眼瞟着回报。二者的不同只在于时间上的差异。

如果没有马上偿还所得到的好处，那么债务的阴影可能持续数年。在电影《石花园》（*Gardens of Stone*）中，一个人给他的朋友打电话求助：为了向一个女人求爱，他需要朋友及其妻子过来共进晚餐。朋友不答应，他被逼急了，只得说：“仔细听着，伙计，不管怎样都不行。”

---

① 埃米莉·波斯特 (Emily Post)，美国文学家，礼节方面的权威人士，著有《礼节》一书。——编者注

这人亮出了自己的王牌，他说："英雄，我还在越南救了你的命呢，就冲这个你也得帮我这个忙。"然后电影切换到晚餐的场景，在那儿我们发现"英雄"和他的妻子果然还是来帮忙了。

在所有社会中，人们都声称送礼是无私的、自愿的，但事实上却是自私而必要的。

在对所有文化中的送礼行为进行的最全面的人类学调查中，研究人员把这种普遍的人类行为总结成一句话：在所有社会中，人们都声称送礼是无私的、自愿的，但事实上却是自私而必要的。

送礼也可能变成几近进攻性的行为。例如，美洲的夸扣特尔原住民部落有"冬节赠礼节"（Potlatch）。主人提供盛宴，赠送礼物，目的是建立社会统治地位。为了在对手奢侈的仪式面前保持体面，人们就必须举办一次更为昂贵的筵席作为回报。所以，再也没有比在一位慷慨主人的桌子前做客更糟的了。虽然"冬节赠礼节"本身已经不复存在，但类似的仪式仍在延续。

最近一次去加利福尼亚的时候，特里在杰伊的办公室里看到一幅很酷的艺术作品。"嘿，那是什么？"他问道。在知道那是杰伊自己的作品后，特里想买下它，甚至出价 1 000 美元。"多少钱也不卖。"杰伊回答说。而杰伊下一次去波士顿的时候，则把画仔细包起来，作为礼物送给了特里。现在它还在特里的沙发上方挂着。特里还没有买礼物作为回报，但他知道要买的话得花上远远不止 1 000 美元。

## 礼物使交易更牢固

去年，特里决定对公寓进行彻底翻修。他找到一个极好的承包人帕特里克，二人对装修计划达成共识。在讨论合约的时候，双方必然都会为自己争取更为有利的价格。讨价还价之后，特里和帕特里克以总共数万美元的价格达成一致。

除了支付开工的第一笔款项，特里还买了一瓶昂贵的威士忌送给帕特里克，并猜到那是他喜欢的类型。在为最低价格进行无情的争斗之后，特里自愿额外送给帕特里克 60 美元，为什么？

我们之所以期待一顿美餐，并不是寄希望于卖肉的、酿酒工和面包师的仁爱善行，而是出于他们对自身利益的考虑。

因为人们进化时所在的世界是没有契约的，礼物在关系调停中发挥着中心作用。虽然现在有了法律体系来规范彼此的互动，但我们仍然具有送礼和收礼的本能。特里送礼的目的是为了激发帕特里克对他积极的感情。想想，这 60 美元花在礼物上，比加在总的账单上要有效多少倍？我们不确定礼物所起的作用，但是他们的关系以积极的态度开始，而且从没有发生过不愉快。

经济学家一般并不以其对人性的乐观认识而闻名。亚当·斯密的《国富论》中最有名的引文是这样说的：“我们之所以期待一顿美餐，并不是寄希望于卖肉的、酿酒工和面包师的仁爱善行，而是出于他们对自身利益的考虑。我们要关注的不是他们的人性，而是其自爱心理。绝不要和他们谈我们的需要，而要谈他们的利益。”连硬心肠的经济学家都能找到证据证明礼物的价值所在。

在一次实验中，研究者花钱雇人模仿老板和雇员。就像在真正的招聘环境中一样，工资是用来雇佣工人的中心内容。谈判结束之后，开始工作之前，老板利用机会送给新来的雇员一个红包。这不劳而获的津贴并没有改变合约的条件。结果怎样呢？

送红包的老板能赚更多钱。怎么回事？实验环境是这样设计的：雇员可以选择努力工作，或者是在没被抓住的情况下偷偷懒（就像在多数工作中出现的那样）。如果雇员自愿加班——而加班实质上是没有报酬的，那么生产水平连同利润就都会提高。出乎意料接到礼物的雇员们工作更加努力，以至于送出礼物的老板们赚了更多的钱。

真正的公司也这么做，他们发给雇员们许多额外的补贴。例如，许多刚刚创立的互联网公司往往这样吹捧自己良好而慷慨的公司氛围："来为我们工作吧，我们提供饮食，还有健身房让你运动。"星期五下午还老是有啤酒狂欢。为什么公司如此慷慨？这样有好处。就像威士忌酒一样，额外的补贴利用了我们的礼物交换本能。这没有什么错，而如果能拿到报酬以外的东西，我们多数人都会更欢喜。

这些本能体现在许多领域。一位研究者观察了人们愿意在影印时被打断的不同程度。研究者在复印中心外扎寨，让同谋进去问是否可以马上使用机器。结果呢？

研究者发现如果打断别人复印的人解释一下自己的需要，结果会有很大的不同。"我可以现在复印吗？"就远远不如这样表示的请求来得成功："我可以现在复印吗，不然老板会把我开了。"合情合理是吧？进一步的研究发现任何理由都和要失掉工作同样有效。"我可以现在复印吗，因为我想现在复印一些东西"，这种说法同样有效，而且比"我可以现在复印吗"有效得多。

我们为什么这么容易受骗呢？答案可能在于我们利他主义的自私本质。回忆一下：给人好处是为了互惠互利。随便解释一下需要，都表明这样的可能性更高：给予对方的好处越多，最终的回报就越大。

还有一个巧妙的实验表明，我们决定为别人做好事的过程中也存在着算计的一面。研究者向普林斯顿神学院的学生问了一系列关于他们的性格和虔诚程度的问题，然后就让他们在校园中行走。

在路上，他们遇到了一个摔倒的人，那人咳嗽着、呻吟着，请求他们带他上医院。那些自称是好人的学生给了更多帮助吗？绝对没有。对宗教的虔诚程度并不能对解释谁淘气谁友善提供多大帮助。

不过，有一个例子能体现利他主义。研究者让一半的神学院学生认为他们赴约要迟到了，而告诉另一半人他们的时间很充裕。时间充足的学生中有63%的人伸出了援助之手，而那些赶时间的人中只有10%这样做。当时间不够时，甚至那些把“宗教作为一种追求”的人也没有停下来帮忙。

这是否意味着我们都是坏人？不是。它意味着我们好与坏的程度基本上取决于我们自己及接受者所得到的好处。在复印的那个例子中，我们对急迫需求的表达引发了别人的利他主义行为；而在穿行校园的过程中，给予的低成本（表现为时间充裕）则成为刺激我们利他主义行为的因素。

关于自私本源的大大小小的暗示充斥着我们的生活。朱莉娅是杰伊的一个朋友，她最近很想对他给予过的帮助表示感谢。她天天能见到他，而且还发很多邮件。她大可以口头表示感谢，或发邮件表示谢意。但是，朱莉娅写了一个字条，走过杰伊的办公室，通过美国老式的邮递方式给他发了封信。朱莉娅知道人们对花费和好处很敏感，她明白如果付出一些努力的话，她的谢意就会更让人欣赏。

也许最实用又最细微的发现是从我们在赶路时要对人微笑挥手这一行为中而来。杰伊的妻子莉萨在让别人允许她进入他们的车道这方面是个能手。她用目光示意，并通过微笑等面部表情来寻求别人的许可。其他司机也显得既高兴又大方地让莉萨走在了前头。为什么？和莉萨的目光接触，以及莉萨的面部表情给人的感觉是好像要开始一段关系了，这就刺激了我们给人好处的本能。

由于别人给了好处——其核心是期望得到回报，莉萨对这一债务的承认就使借道比较容易了。在洛杉矶这个大城市里，莉萨真正有机会对那个特定的人进行回报的概率是零，但实际效果并没有减少。

## 生活在现代世界，却拥有过时的社会本能

我们过时的社会本能附带着一种有趣的癖好，那就是系统地夸大自我的重要性。专家们哀叹选举投票率令人失望，并对 1996 年美国总统大选中 49% 的低纪录评头论足。但是，真正让人困惑的是，为什么会有人花上一小时在总统大选中投票。

任何一张选票都不可能改变一次国家选举，所以自私而理性的选择是待在家里。这个道理在 2000 年绝对正确，但对我们的祖先来说却是非常明显的错误。祖先们生活在小团队中，每个人都像现代的参议员一样有权利，所以一个人的声音在少数人中可以被听见。

我们大脑中的基因仍然认为，做出一些努力让结果朝有利于它们的方向转变是完全合理的。它们也使我们更加关心这个社会，这超出了我们本来应有的关心范围。由于人们在小圈子里生活了这么长时间，基因使我们生来就有一种本能，这种本能适合的是一个只有为数不多的互动频繁的人生活于其中的世界。这些“小世界”的本能除了影响投票，还影响到高速公路上的行为。

> 我们过时的社会本能附带着一种有趣的癖好，那就是系统地夸大自我的重要性。

开飞车的情况如此普遍，以至于在一次调查中，美国人认为“马路暴怒”① 比酒后驾驶的威胁更大。在许多网站上，人们都在发帖子发泄。一个人夸口说，一位老妇人挡住他的去路后，他“跟着这个老妇人回了家，并把她的邮箱砸掉了”。

为什么另一辆车里的家伙超过了我们，我们就会如此激动呢？早上班 8 秒钟真的就那么关键吗？答案可能还要源于那个认为我们还生活在小小世界中的基因。

在我们和同一个人反复打交道时，尊严和威望是极其重要的。例如，在纳尔逊·曼德拉入狱初期，有一次狱警想让所有犯人都跑起来。曼德拉劝狱友说：“不要屈从这些威胁，就按你们正常、稳健的步子走。”后来他解释道，如果那天他跑了的话，以后就会天天这样跑。

如果我们要一次次见到同一个人，建立威信会非常有价值。然而，如果我们把这种态度也带到高速公路上去的话，那我们就是在冒险惩罚那些我们很可能绝不会再次见到的人。

如今，非常多的打架斗殴事件都发生在酒吧里，而且许多都是因为小小的面子上的问题，这些事件的数目多得让人吃惊。根据概率推算，每年有 2 万个美国人会死于他杀，而另有数万人会在可能致死的刀刺或枪战中受伤。这些事件大多都发生在陌生人之间，而如果他们只是各自走开的话，就可能再也碰不上面了。

即使不能改变结果，我们还是要去投票，因为我们幻想着自己的

---

① 马路暴怒 (road rage)，指在交通堵塞情况下开车的压力和挫折所导致的愤怒情绪。——译者注

投票会具有祖先们那个时代的影响力。同时，我们也太急于捍卫自己的尊严，即使现在已经是我们应该忘记这种尊严的时候。当我们被某种侮辱行为所激怒时，就需要算计一下未来和这个可恶的家伙来往的次数。如果答案是零，我们最好就对那些轻侮不予理睬，扬长而去。

电影《全金属外壳》(*Full Metal Jacket*) 记录了美国海军最初军训时的情景，然后剧组又跟随他们到了越南。在新兵营地，巡查员会在夜里检查部队及其营地。一天晚上，他发现士兵派尔没有锁好自己的财物，因此勃然大怒。盛怒之下，他把派尔的东西扔得到处都是，并且说："如果在这个世界上有什么东西是我所憎恶的话，那就是没锁好的提箱！要不是因为有你这样的白痴，就绝不会有偷东西的事发生。"

这是责怪受害者的一个例子吗？当然是，但同时也是对人性的评论。因为别人可能会受到我们财物的诱惑，所以我们可以通过提供一种有利的环境，而帮助别人把犯罪动机压制在心底。

同时，或许有点矛盾的是，认识到友谊的自私本质可以巩固我们的关系。我们每个人都有一系列独特的基因，它们无情的自私本质引得我们与陌生人、朋友甚至家人发生冲突。若理解了基因的自私既是冲突又是合作的基础，那么我们就可以建构一些诱发合作的环境。

朋友和敌人并非固定不变的。由于合作是由相互的利益推动的，所以我们不应完全反对寻求和培育与对手合作的机会。我们应该学会对对手好一点，因为下个星期他们就可能成为我们的朋友或配偶。同样，有盟友守卫的话也会付出代价，因为我们自己暴露出的弱点可能会在（不远的）将来被盟友用来对付我们。最后，我们应该对自己好一些，因为我们是自己唯一永远的盟友。

# 结语　不死的欲望

鲱鱼鸥在地上浅浅的窝里下蛋。尽管它们特别呵护自己的后代，但不会筑起特别好的鸟巢。这些工艺粗糙的家园带来的一个问题是，珍贵的鸟蛋很容易滚出来被其他动物吃掉，或是在冷风中被冻死。因此，鲱鱼鸥归巢之后的第一件事就是去寻找散落在外面的鸟蛋，并把它们推回巢里。

科学家不断改变巢外鸟蛋的数目和大小，由此发现了一个简单的行为模式。鲱鱼鸥每次只推一个蛋，且总是按从大到小的顺序。科学家继续用比真蛋稍大一些的仿真蛋做实验。把这些仿真蛋放到鸟巢旁边后，善良的鲱鱼鸥无论真假，仍是往巢里一个劲地推鸟蛋，顺序还是从大到小。

一个让帕梅拉·安德森·李[①]感到自豪的骗局是，科学家制造了一些巨大的假蛋。看起来，鲱鱼鸥"越大越好"的法则没有什么上限，即使这些人造鸟蛋比成熟的鲱鱼鸥都要大得多，它们还是试图先放好最大的蛋。鸟爸爸和鸟妈妈们尽管不可能搬动一个和足球差不多的人造蛋，但是它们还是不屈不挠地努力去推，而它们真正的孩子就在一边的真蛋中，正因没有被照料好而死去。

---

① 帕梅拉·安德森·李（Pamela Anderson Lee），美国电视艳星，杂志模特，因主演沙滩女救生员而成名，因其漂亮、丰满的胸部而被称为性感美女。——编者注

为什么进化史上有这种“笨鸟”，或者说为什么让这样的鸟活下去？其实，鲱鱼鸥的本能与其所在的自然环境非常适应。“越大越好”的法则是完美无缺的，因为在真实世界中，鲱鱼鸥永远不会碰到巨大的假蛋，而真蛋越大则意味着会孵出更健康的后代。问题只是出现在那些好管闲事的科学家将这些鸟放到一个特殊环境的时候而已。

和鲱鱼鸥一样，我们的本能也非常能适应我们所生存的自然环境，但问题是人类生活在一个工业化的世界里。一个重要的例子就是我们好吃的本性。人类始祖总是处于饥饿状态，没有可靠的食物来源，也没有冰箱或储存系统。于是他们的生存法则就非常简单：能吃多少就吃多少。当我们在这个富庶的现代世界里继续遵循这一法则的时候，大多数人就变得超重和不健康。

那些过时的基因不时地给我们带来麻烦。正如我们的好胃口会带来一大堆烦恼一样，我们有许多问题仅仅是因为对某一件好的东西要求或索取得太多。一些东西在量少的时候可能有用，但太多的话常常会产生毁灭性的后果。因此，人们的本能需求在新环境中会直接导致问题的产生。在其他情况下，麻烦的来源会隐蔽一些。让我们来看看昆申人是怎样为了满足自己的生理需求而陷入困境的。

前些年，昆申人还和我们的祖先一样，靠打猎和采集植物为生。20 世纪 60 年代，一些最先接触昆申社会的西方人问他们想要些什么。昆申人的回答很明确：水。他们生活在沙漠之中，一生都在为找水而奔波。即使是我们的一个水龙头中慢慢滴落的水滴，对一小群昆申人来说，都是相当珍贵的。

大家可能想不到，其实卡拉哈里沙漠下面蕴藏着大量的地下水。1962 年，西方人在一个叫克伊康姆（!Koi!kom）的地方打了 5 口井，从而为昆申人提供了一个稳定的水源。不幸的是，这些昆申人不过是用一个噩梦换来了另外几个噩梦。正常情况下，昆申人过着游牧生活，随着动物的迁移或植物的枯荣而不断搬家。有了水井之后，昆申人就放下了行囊，在水井附近定居下来。很快，他们就把周围走路能到的地方的所有动物都给猎杀了，所有的植物也被摘光。

昆申人以前从来不需要什么卫生设施，垃圾和排泄物就扔在帐篷外和篝火边，在生活垃圾没有泛滥成灾之前，他们就离开了。大自然母亲负责进行自然循环。但是，有了水之后，他们就不再愿意搬迁，这时候各种垃圾很快堆积如山，并开始招致疾病。“水”梦成真的时候，昆申人不再干渴，但是饥饿和疾病却接踵而来。

昆申人和鲱鱼鸥的困境揭示了动物本能和自然环境之间复杂的平衡关系。今天，我们每个人都面临着这些问题，它们比以前要复杂得多。对财富、饮食和舒适生活的热爱使我们远离了原先的自然环境，数不清的麻烦由此产生。

我们这个世界的变化速度之快令人目不暇接。一台新计算机刚刚组装好就过时了，一周时间在互联网上俨然就是永恒。与此对应的是，人类的进化缓慢而单调。数千年里，人类的基因也未曾有过多大改变。柏拉图或许不知道什么是电子邮件，但是他享用杯中美酒的乐趣和我们是一样的。在他的头脑里，欢乐的基因按钮和我们现在的一模一样。

实际上，从柏拉图之前到现在，我们的基因就未曾改变。从遗传上讲，我们依然是洞穴中的男女，只是生活在超现代社会里。我们自然的基因世界和现代世界的不对应产生了许多问题。但是，吸毒、肥胖、赌博、破产等问题并不是简单地源于这两个世界之间的不协调，这种不协调是无辜的，而真正的答案是险恶的。

商家常常通过利用我们那些过时的基因来获利。例如，人类及其他灵长类动物爱吃水果是因为水果中有丰富的天然糖分，于是食品制造商就迎合我们爱吃甜食的胃口。一只橙子中只含有 10% 的糖，而在一些早餐的麦片粥中，糖分却被添加到了 50% 以上。我们的某一位祖先找到一个含有天然糖分的橙子肯定会大喜过望，但现在的孩子们却喜欢“嘎吱船长”（Cap’n Crunch）牌麦片。

与此类似，快餐的推销者并没有创造出脂肪高、咸味重和热量大的新口味，而是简单地利用了我们已有的内在欲望，他们的食品只不过把我们喜爱的那些特征夸大了一些。吃一顿各种营养成分都比我们祖先那时大得多（他们当时为得到某一种营养成分就得四处奔波）的大餐，我们的味蕾会感到兴奋不已。这种利用人类本能搞创收的产品很多。色情业利用了我们的性需求，肥皂剧满足了我们对社会信息的需求，等等，不一而足。

“贪婪是好事。贪婪代表了进化精神的本质，并意味着人类不断进步的趋势。”戈登·盖科在《华尔街日报》上说过大体上类似的话，但是他错了。

贪婪既不好也不坏，它只是追寻利润。这种动力既使人类研制了各种各样延长寿命的疫苗，又同样发明了剥削我们的贷款，这些贷款可能要我们偿还一倍的利息。所有产品——无论是有益的还是有害的，都有其共同特征，那就是它们都迎合了我们的本能欲望。正是这些欲望使我们频频陷入困境。

> 从柏拉图之前到现在，我们的基因就未曾改变。从遗传上讲，我们依然是洞穴中的男女，只是生活在超现代社会里。

在一个有点残酷的测试人类控制自我能力的实验中，心理学家在每个4岁孩子的面前都放了一块棉花糖。然后，一位科学家对小孩子说：“我要出去一下，15分钟以后回来。你们现在可以开始吃糖了，但如果等我回来再吃的话，你们每人可以吃两块糖。”隐藏在一边的观察人员记录下了孩子们努力抵制棉花糖诱惑的情形。结果是大部分孩子最终都屈服了，虽然他们每人只吃了一块糖。

这个实验的巧妙之处在于10年后科学家又对这些孩子进行了回访，那些在棉花糖实验中表现出坚强意志力的小孩比那些相对不守纪律的小孩要出色得多。他们被认为更能集中注意力，能更好地应对心理紧张，而且在 SAT[①] 中取得了较高的成绩。

我们所有人每天都会面对像棉花糖这样的诱惑，那些最能控制自我冲动的人会获得丰厚的回报。在通往理想殿堂的道路上，我们必须经过许多具有诱惑力的岔路口。

这就提醒我们注意本书关于基因的核心主题。让我们喜欢吃高脂肪食物、色眯眯地盯着邻居女主人、连续开上几个小时的车、用自己的薪水去赌博的敌人就在我们自己的基因欲望之中。

> 我们这个世界的变化速度之快令人目不暇接。

我们要想打赢这场自我控制的战斗非常困难，但是我们至少还有奋力一搏的机会。大多数动物，即便是聪明的黑猩猩，都没有一点点克服冲动的能力。科研人员做了这么一个有趣的实验。他们用一只手拿着黑猩猩想要的物品，但是只有黑猩猩用手指向科研人员另一只手的时候，才把东西给它。黑猩猩很快就学会了这个小游戏。为了得到科研人员右手上的奖品，它指向科研人员的左手。反之亦然，为了得到科研人员左手上的奖品，它指向科研人员的右手。

但是如果把奖品换成吃的东西，这种学习的能力就消失了。当黑猩猩看到食物（比如一根诱人的香蕉）的时候，它们就会直接去拿，把游戏规则忘得一干二净。尽管经过数十次失败后，它们已经大受挫折，但还是直接指向那只拿着食物的手，最终还是拿不到。黑猩猩就是不能用它们的智力克服自己的口

① Scholastic Assessment Test，学术水平测验考试，是申请美国大学本科所必须参加的考试，被多数大学用作比较不同地区、不同高中、不同评分制度的标准。——译者注

舌之欲。

虽然对于人类来说，意志力也很难培养，但自我控制的能力还是把我们与动物王国中的其他动物区别开来了。所以，我们除了有大量爱惹麻烦的基因，还有自由意志和自我约束的基因。在基因中，我们找到了与动物本能做斗争和控制生活的武器。

要控制我们的冲动有多种方法。我们可以把其中一种方法命名为“阿诺德”，这是因为著名影星阿诺德·施瓦辛格提供了这种纯粹的方法。他在十几岁的时候，就立志要成为这个世界上最优秀的健美运动员。靠着他的钢铁般的意志，他支配了自己的肌肉，并顺利地把这一成功延展到他的影视生涯及其他领域。

许多自助性质的策略都是阿诺德方法的一部分。它要求我们强身健体，在诱惑中生活而保持强壮之躯。这是一种健美的方法，我们尊重具有自我约束力的人。在詹姆斯·邦德的《007 之登月计划》里面，反面角色养的一对经过严格训练的杜宾犬给观众留下了深刻的印象。它们对就放在鼻子下面的美味牛排视而不见，直到主人下令才吃。这一画面之所以深刻印入观众脑海之中，是因为这种克服欲望的能力是极其罕见的。

阿诺德方法除了特别困难，还有一个缺点就是需要持之以恒。如果在忍受了一整天的饥肠辘辘之后，我们再也挺不住而吃上一块含有 60 克脂肪、500 卡路里热量的巧克力，那么当天我们会很痛苦地睡去，并决定第二天再开始更加刻苦的锻炼。于是，23 小时 59 分钟的锻炼会在最后一刻的松懈中化为乌有。

有些诱惑，与其抵制它们，不如避免它们。可以肯定的是，我们都能得益于纯粹的精神力量。但是我们当中总会有一些人抵制不住诱惑，想吃棉花糖或香喷喷的牛排。这些人可以借助其他工具。

回忆一下我们对麻醉剂问题的讨论。性高潮及服用上好的可卡因带来快感的成分都是多巴胺，多巴胺会刺激我们大脑的“再来一次”中心。设想一下一种能产生这种快感但没有副作用的产品，没有破坏性冲动，没有 HIV 感染的针头，只需要多巴胺很短时间的刺激，而无任何后顾之忧。我们人类确实开发了这么一种产品，它就是过山车。

我们的祖先以古老的方式得到了他们产生冒险的多巴胺：他们需要冒险。我们靠着聪明才智已经发明出一些可以创造冒险情境的产品，恐怖电影、蹦极、动作游戏等都给了我们冒险的刺激，而这一切就像在沙发椅上打个盹一样安全，难怪我们会如此喜欢这些产品。对于其他会带来问题的冲动，我们迄今还没有制造出有效的产品。而在会产生问题的潜在本能方面，目前大部分产品都没有涉及。尽管如此，还是让我们期望许多有应用前景的方法被尽快发明出来吧。

食品制造商们在努力让我们吃上“减肥”蛋糕。纽特阿斯巴甜是一种被研制出来蒙混我们味蕾的重要化学成分（还有许多这样的物质正在被研制），它使我们“大快朵颐，但无损健康”。我们最终可以吃上味道像含 4 000 卡路里热量的牛排和土豆但与花椰菜加糙米饭一样健康的大餐。与此类似，尼古丁口香糖和美沙酮都可以满足我们对麻醉剂的冲动，同时可将其副作用降至最低。

这样，发明创造就能够驯服我们的本能。我们可以生产出刺激古老的本能而任由我们选择其效果的产品。垃圾食品会成为健康食品，在过山车上的冒险是一种安全的刺激。战争冲动被引导到了足球和曲棍球上，香烟被尼古丁口香糖取代。

电影《我为玛丽狂》展示了另外一种自我控制的方法。影片中，本·斯蒂勒尔约会时总是表现很糟糕。他一见到美女就激动万分，结果把美女们都吓跑了。当他约了美丽的卡梅隆·迪亚兹之后，他担心自己又会因兴奋过度而贻误一个大好机会。一个朋友建议他先把自己大脑中的“婴儿糊糊”（baby batter）释放出来。于是，斯蒂勒尔在约会前一刻进行了自慰，最终他在清醒的状态下获得了女孩的芳心。

斯蒂勒尔先发制人的一击揭示出我们自我控制的另一个方法。在进入本能可能导致自己迷失的情境之前，我们可以采取措施改变这些冲动。例如，在参加一个聚会或去食品店之前，为了控制食欲，我们可以先吃点健康的东西，或者吃些戒酒硫，它会使饮酒产生不适。

自我控制的斗争折磨着所有的人，我们许多古老的故事都是围绕这个主题展开的。在最久远的冒险故事《奥德赛》中，作者荷马写到了奥德赛在洗劫特洛伊之后返回希腊的一段故事。奥德赛沿途遇到的危险之一就是海上女妖塞壬[①]。塞壬的歌声优美动听，航海者听后会不由自主地向她所在的岛屿靠近，最终导致船只触礁沉海。

奥德赛将自己绑在了船的桅杆上，让船员们用蜡把他们自己的耳朵堵上。他严格要求船员们不要注意他的面部表情。在大多数情形下，有着更多的自由和权力是件好事，但是奥德赛听到塞壬的歌声时，他既不能移动，也不能向他的船员下令靠近危险之地。正是奥德赛精心安排的这样无所作为的状态才使他逃过灭顶之灾，于是他成为听过塞壬的美妙歌声之后活下来的第一人。

奥德赛预先意识到了自己的弱点，并为了避免船毁人亡的惨剧，提前采取了控制自我冲动的措施。当我们决定买些低脂食品放到储藏室，或者抵制与发嗲弄娇的漂亮同事一起去公共场合共进午餐的诱惑的时候，塞壬的歌声就没有多大的施展空间了。

如果我们有阿诺德·施瓦辛格那样的自制力，即使巧克力吃到一半也能

---

① 女妖塞壬（the Sirens），希腊神话中半人半鸟的海妖。——译者注

停下来。我们可以做到比我们的本能更聪明，比如，酒瘾上来的时候，告诫自己只能吃年糕。中国的思想家孙子曾经说过“善战者，致人而不致于人”[①]。与此类似，自我控制的斗争常常也是由“地形”决定的：我们应该找到自己的制胜点。

奥德赛还告诉了我们享受生活的方式。当时他可以像船员们一样，简单地在自己耳朵里塞上蜡，这样也可以逃过这一劫。然而，他既想聆听塞壬的美妙之音，又想避开灾难。虽然我们的欲望带来了许多麻烦，但是如果没有快乐，又有什么意义呢？

我们应该享受我们的动物本能，甚至可以陶醉其中，但是必须防止这些本能控制我们自身。要过上心满意足的生活，关键在于找到一条中庸之路，有自由自在的快乐，也有钢铁一般的意志，同时还能机智地控制我们自己及周围的环境。

我们面临的诱惑巨大而持久，但我们并非注定只能在这场战斗中投降。我们身上难缠的基因古老而自私，每天都无所不在地影响着我们的生活。但是因为我们能够预知它们的影响，所以，自我了解加上自我约束定能帮助我们找到制胜之法，过上幸福生活。

---

① 《孙子兵法》“虚实第六”篇：凡先处战地而待敌者佚，后处战地而趋战者劳，故善战者，致人而不致于人。——译者注

# 致　谢

本书的写作建立在数千名科学家的研究成果的基础之上。感谢这些给我们以启迪和帮助的人：大卫·巴斯、拿破仑·契农、勒达·考斯梅德、马丁·戴利、尼古拉斯·戴维斯、理查德·道金斯、欧文·德沃尔、贾里德·戴蒙德、彼得·埃利森、海伦·费希尔、罗伯特·弗兰克、简·格德尔、金·希尔、莎拉·布拉佛·哈第、A. 马格达雷那·赫塔德、丹尼尔·卡尼曼、梅尔文·康纳、约翰·克雷布斯、兰迪·内斯、史蒂夫·平克、约翰·托迪、罗伯特·特里弗、爱德华·威尔逊、玛格·威尔逊和理查德·兰厄姆。

还有很多良师益友给我们分享了他们的学识和思维方式，这使我们受益良多。在杰伊的学术生涯中，史蒂夫·奥斯塔德、理查德·勒翁坦和迈克尔·罗斯扮演了至关重要的角色，而亚当·布兰登勃戈和弗农·史密斯对特里的影响也不亚于此。能够直接聆听欧文·德沃尔、彼得·埃利森和马克·豪泽的教诲，我们感到十分幸运。

在此还要特别感谢爱德华·威尔逊。他的创造性的论著对我们两人的学术生涯都起了非常重要的作用。同时，他还是一位尽心尽力的好顾问，本书写作的重要阶段一直有他的关照。很多朋友花时间帮我们阅读了草稿，并提供了反馈意见。约翰·费特曼阅读了所有章节，并对每一章提出了修改意见（在有些地方多次提出意见）。艾丽西娅·莫莱蒂几乎参加了写作的每一个阶段，发挥了她的语言才能，对文字进行了加工润色。朱莉亚·法路恩阅读了大量篇幅，并给出了简短的评论，她的智慧和幽默一直伴随着我们的写作。

在本书撰写的整个过程中，莉萨·菲兰始终是我们坚定的支持者，很多写作的想法和出版建议都来自她。她的周全考虑和毫不悲观的态度让我们意识到每天都可能是硕果累累的一天。

此外，对本书撰写提供大量帮助的还有格伦·阿德逊、金·阿利、尼科尔·贝尔·艾尔斯、本·伯杰、杰夫·博登斯泰、赖利·布夫、托马斯·伯纳姆、玛丽·伯纳姆、卡蒂·卡希尔、南茜·德沃尔、苏·弗卢埃林、朱迪思·弗林、凯特·高润斯基、琼·葛雷柯、布赖恩·黑尔、凯洛尔·胡文、马特·克雷普斯、克莉丝·麦森、法蒂玛·梅楼、马修·麦金太尔、米歇尔·麦克纳马拉、波阿斯·摩泽尔、哈罗德·欧文斯、约翰·菲兰、凯文·菲兰、帕特里克·菲兰、米歇尔·里士满、艾勒恩·罗辛、艾玛·希夫曼、丹尼·辛德勒、芭芭拉·李·史密斯、比尔·尤伦、凯瑟琳·法莉和迈克·沃尔菲斯。

感谢我们的经纪人约翰·布罗克曼和卡昙克·马特森为我们所做的大量宣传工作。作为出版业的新手，我们得到了霍利·毕晓普、史蒂夫·平克、芭芭拉·里夫金德等人的宝贵意见。

珀尔修斯出版社的编辑阿曼达·库克赞同我们在本书中的观点。在如今几乎没有编辑在真正做编辑工作的时代，阿曼达一直促进、推动着我们写作，并提出了许多建议。她为本书做出了很多贡献，赢得了我们的敬意和感激。珀尔修斯出版社的大卫・戈林也是本研究项目有力的支持者，他是一个非常有趣的人。

伊丽莎白・诺莉丝、劳里・普恩和朱莉亚・法路恩在图书馆和互联网上搜集了大量资料，帮助我们检查了每一个论据，以确保所有观点都准确无误。

谨以致谢。

特里和杰伊

注：本书中的数据都已经过详细考察并存档。如欲进一步了解信息，请访问本书网站 www.meangenes.org。